Jo Nesbø

BLOOD ON SNOW
DER AUFTRAG

Jo Nesbø

BLOOD ON SNOW

DER AUFTRAG

Thriller

Aus dem Norwegischen
von Günther Frauenlob

Ullstein

Die Originalausgabe erschien 2015
unter dem Titel *Blod på snø*
bei Aschehoug, Oslo.

ISBN 978-3-550-08077-7

© 2015 by Jo Nesbø
© der deutschsprachigen Ausgabe
2015 by Ullstein Buchverlage GmbH, Berlin
Alle Rechte vorbehalten
Gesetzt aus der Galliard
Satz: Pinkuin Satz und Datentechnik, Berlin
Druck und Bindearbeiten: CPI books GmbH, Leck
Printed in Germany

KAPITEL 1

Der Schnee tanzte wie Baumwollflocken im Schein der Lampe. Richtungslos, nicht wissend, ob es nach oben oder unten ging, ließ er sich von dem eisigen Wind davontragen, der aus der Dunkelheit vom Oslofjord herüberwehte. So vereint wirbelten Luft und Schnee durch die Finsternis zwischen den verlassenen Lagerhäusern am Kai. Bis der Wind das Spiel irgendwann leid war und seinen Tanzpartner dicht an der Wand ablegte, wo sich die trockenen, zusammengewehten Kristalle unter den Schuhen des Mannes sammelten, dem ich gerade in Brust und Hals geschossen hatte. Das Blut tropfte vom Hemdkragen auf den Schnee. Ich weiß nicht viel über Schnee – und auch sonst nur wenig –, aber irgendwo habe ich gelesen, dass Schneekristalle, die sich bei extremer Kälte bilden, ganz anders sind als die von Schneematsch oder Graupel. Die Struktur der Kristalle und die Trockenheit des kalten Schnees sorgen dafür, dass das Hämoglobin im Blut seine tiefrote Farbe behält. Ich jedenfalls musste beim Anblick des Schnees unter ihm an die Robe eines Königs denken, Purpur und Hermelin. Wie auf den Illustrationen in dem alten norwegischen Märchenbuch, aus dem meine Mutter mir immer vorgelesen hat. Sie liebte Märchen und Könige. Wohl deshalb hat sie mich nach einem von ihnen benannt.

In der *Aftenposten* stand, dass 1977 das kälteste Jahr seit dem Krieg werden könnte, wenn der extreme Frost noch bis Neujahr anhielte, und dass wir uns an dieses Jahr als den Beginn der neuen Eiszeit erinnern würden, von der die Forscher seit geraumer Zeit redeten. Aber was wusste ich schon? Ich wusste nur, dass der Mann, der vor mir lag, nicht mehr lange zu leben hatte. Das Zittern, das durch seinen Körper ging, war eindeutig. Er war einer der Männer des Fischers. Es war nichts Persönliches. Das habe ich ihm auch gesagt, bevor er an der Wand zusammensackte und einen blutigen Streifen auf den Steinen hinterließ. Obwohl ich nicht glaube, dass es ihm die Sache leichter gemacht hat, bloß weil es nichts Persönliches war. Sollte ich einmal selbst erschossen werden, dann lieber aus persönlichen Gründen. Jedenfalls habe ich das nicht gesagt, um nicht von seinem Geist verfolgt zu werden, ich glaube nämlich gar nicht an Geister. Mir ist ganz einfach nichts anderes eingefallen. Natürlich hätte ich den Mund halten können. Normalerweise tue ich das auch, aber dieses Mal war mir irgendwie danach, etwas zu sagen. Vielleicht lag es daran, dass in einigen Tagen Weihnachten war. Angeblich rücken wir Menschen ja zusammen, wenn sich dieses Fest nähert. Aber was weiß ich.

Ich dachte, das Blut würde an der Oberfläche des

Schnees gefrieren, doch stattdessen sog der Schnee es tief in sich auf und versteckte es, als habe er damit irgendetwas vor. Auf dem Nachhauseweg stellte ich mir vor, wie sich ein Schneemann aus der Wehe erhob, unter dessen leichenblasser Eishaut die Adern zu sehen waren. Ich rief Daniel Hoffmann aus einer Telefonzelle an und sagte ihm, dass der Job erledigt sei.

Hoffmann war zufrieden und stellte wie gewöhnlich keine Fragen. Entweder hatte er im Laufe der vier Jahre, in denen ich für ihn expedierte, gelernt, mir zu vertrauen, oder er *wollte* einfach nichts wissen. Der Job war erledigt, warum sollte ein Mann wie er sich mit Details abgeben, wenn er doch dafür zahlte, weniger Probleme an der Backe zu haben. Er bestellte mich für den nächsten Tag in sein Büro, er hatte einen neuen Job für mich.

»Einen neuen Job?«, fragte ich und spürte mein Herz schneller schlagen.

»Ja«, sagte Hoffmann. »Einen neuen Auftrag.«

»Ah so.«

Erleichtert legte ich auf. Denn viel mehr als das, was ich machte, konnte ich auch nicht.

Es gibt vier Arten von Jobs, für die ich nicht zu gebrauchen bin. Einen Fluchtwagen fahren. Schnell fahren kann ich, das ist es nicht. Aber ich kann nicht anonym fahren, und wer einen Fluchtwagen fährt, muss beides können. Man muss es schaffen, ein Auto unter vielen zu sein. Ich habe mich und zwei andere in den Knast gebracht, weil ich nicht unauffällig genug gefahren bin. Ich bin gerast wie eine Wildsau, über Waldwege und Hauptstraßen, und hatte meine Verfolger längst abgehängt. Kurz vor der schwedischen Grenze bin ich dann vom Gas gegangen und brav wie ein Opa am Sonntagnachmittag weitergezockelt. Trotzdem wurden wir von einem Streifenwagen gestoppt. Hinterher meinten sie, sie hätten nicht einmal geahnt, dass es sich um einen Fluchtwagen handelte und dass ich weder zu schnell gefahren sei noch gegen irgendwelche Verkehrsregeln verstoßen hätte. Ich weiß nicht, warum, aber sie fanden meinen Fahrstil irgendwie verdächtig.

Für Raubüberfälle komme ich auch nicht in Frage. Ich habe gelesen, dass über die Hälfte aller Bankangestellten, die Opfer eines Raubüberfalls waren, anschließend psychische Probleme haben, einige sogar für den Rest ihres Lebens. Ich weiß nicht, aber der Alte an der Kasse des Postamts, das ich mal überfallen habe, hatte es verdammt eilig, psychische Probleme zu bekommen. Er ging schon zu Boden, als der Lauf meiner Schrotflinte nur vage in seine Richtung zeigte. Und schon am nächsten Tag stand was von psychischen Problemen in der Zeitung. Eine flotte Diagnose, aber trotzdem; will man irgendwas nicht haben, dann doch psychische Probleme. Also habe ich ihn im Krankenhaus besucht. Er hat mich natürlich nicht wiedererkannt, ich hatte in der Post ja auch eine Weihnachtsmannmaske auf. (Die perfekte Verkleidung, wirklich keine Sau hat in der Vorweihnachtshektik Verdacht geschöpft, als drei als Weihnachtsmänner verkleidete

Typen mit Säcken über der Schulter aus dem Postamt kamen.) Ich blieb in der Tür des Zimmers stehen und musterte den Alten. Er lag auf dem mittleren Bett und las den *Klassenkampf*, die Kommunistenzeitung. Ich habe nichts gegen Kommunisten, nichts gegen Kommunisten als Individuen. Oder doch, das habe ich. Aber ich *will* nichts gegen sie haben, ich meine bloß, dass sie auf der falschen Fährte sind. Deshalb hatte ich so was wie den Anflug eines schlechten Gewissens, als ich merkte, dass ich mich viel besser fühlte, weil dieser Kerl den *Klassenkampf* las. Aber es gibt natürlich einen Unterschied zwischen dem Anflug eines schlechten Gewissens und einem wirklich schlechten Gewissen. Und ich habe mich, wie gesagt, *viel* besser gefühlt. Mit Raubüberfällen war von da ab trotzdem Schluss. Es konnte schließlich sein, dass der Nächste *kein* Kommunist war.

Drittens kann ich nicht mit Drogen arbeiten. Ich schaffe das einfach nicht. Dabei macht es mir keine Probleme, Leute in die Mangel zu nehmen, die meinen Chefs Geld schulden. Jeder Junkie muss sich erst einmal selbst an die Nase fassen, und ich bin ganz klar der Meinung, dass man für seine Fehler geradestehen muss. Nicht mehr und nicht weniger. Das Problem ist eher, dass ich ein schwaches, sensibles Seelchen bin, wie meine Mutter das immer genannt hat. Sie hat sich bestimmt in mir wiedererkannt. Wie dem auch sei, ich sollte meine Finger von den Drogen lassen. Schließlich bin ich – ihrer Meinung nach – der Typ Mensch, der nur darauf wartet, sich unterzuordnen. Egal ob einer

Religion, einem großen Bruder oder einem Chef. Oder eben Drogen und Alkohol. Außerdem kann ich nicht rechnen, ich schaffe es kaum, bis zehn zu zählen, ohne mich zu verhaspeln. Und das ist gar nicht gut, wenn man dealt oder Geld eintreiben muss. Das versteht sich ja von selbst.

Okay, kommen wir zum letzten Punkt: Prostitution. Eigentlich ist es da auch wieder dasselbe. Ich habe keine Probleme damit, dass Frauen Geld mit etwas verdienen, was ihnen Spaß macht, oder dass ein Typ – zum Beispiel ich – ein Drittel ihrer Einnahmen einsteckt, um für sichere Rahmenbedingungen zu sorgen. Ich meine, sie sollen sich ja ganz auf ihr Handwerk konzentrieren können. Ein guter Zuhälter ist jede Krone wert, die man ihm zahlt, dieser Überzeugung war ich schon immer. Das Problem ist, dass ich mich schnell verliebe und dabei das Geschäft aus den Augen verliere. Außerdem mag ich keine Gewalt gegen Frauen, verliebt oder nicht. Vielleicht hat auch das mit meiner Mutter zu tun, wer weiß? Vielleicht kann ich deshalb nicht einmal zusehen, wenn andere Kerle Frauen verprügeln. Ich verliere dann den Kopf. Nehmen wir zum Beispiel Maria. Lahm und taubstumm. Ich weiß nicht, was diese beiden Dinge miteinander zu tun haben, vermutlich nichts, aber irgendwie scheint es wie mit einer Pechsträhne zu sein, hat man erst einmal schlechte Karten, geht das auch so weiter. Vermutlich hatte Maria deshalb auch einen Junkie zum Freund. Einen Kerl mit einem vornehmen, französischen Namen, der Hoffmann dreizehntausend schuldete.

Drogengeld. Das erste Mal gesehen habe ich sie, als Pine, Hoffmanns oberster Zuhälter, auf eine Frau in einem selbstgenähten Kleid zeigte, sie hatte die Haare in einem Knoten am Hinterkopf zusammengebunden, als käme sie geradewegs aus der Kirche. Sie saß auf der Treppe der Ridderhalle und weinte. Pine erklärte mir, dass sie die Drogenschulden ihres Freundes abarbeiten solle. Ich dachte, es wäre gut, sie sanft an die Arbeit heranzuführen und erst einmal nur ein bisschen Handarbeit machen zu lassen. Aber sie stürzte schon nach zehn Sekunden aus dem ersten Auto, in das sie eingestiegen war. Stand da und heulte wie ein Schlosshund, während Pine sie anbrüllte. Vielleicht glaubte er ja, dass sie ihn hörte, wenn er nur laut genug brüllte. Vielleicht war dieses Brüllen, vielleicht aber auch die Sache mit meiner Mutter, schuld daran, dass ich den Kopf verlor. Dabei verstand ich die Argumente, die Pine ihr ins Hirn zu brüllen versuchte. Auf jeden Fall endete es damit, dass ich meinen eigenen Vorgesetzten zusammenschlug. Danach nahm ich Maria mit in eine Wohnung, die vermietet werden sollte, und ging zu Hoffmann und sagte ihm, dass ich als Zuhälter nicht taugte.

Worauf Hoffmann meinte – und auch dagegen lässt sich nichts einwenden –, er könne es nicht zulassen, dass jemand seine Schulden nicht bezahle, das würde sonst nur die Zahlungsmoral anderer und wichtigerer Kunden gefährden. Überzeugt, dass Pine und Hoffmann auf der Suche nach der Frau waren, die den Fehler begangen hatte, die Schulden ihres Liebsten zu

11

übernehmen, machte ich mich auf die Suche nach dem Franzosen und fand ihn in einer Wohngemeinschaft oben in Fagerborg. Er war ebenso zugedröhnt wie pleite, so dass mir schnell klar war, dass ich nicht eine einzige Krone aus ihm herausholen würde, auch wenn ich ihn schwer durchschüttelte. Ich drohte damit, ihm das Nasenbein ins Hirn zu rammen, sollte er sich Maria nur einen Schritt nähern, wobei ich ernsthaft daran zweifelte, ob von beiden überhaupt noch was übrig war. Dann ging ich zu Hoffmann, sagte ihm, der Lover sei endlich zu Geld gekommen, gab ihm dreizehntausend und ließ ganz klar durchblicken, dass ich davon ausging, dass die Jagd auf die Frau damit ein Ende hatte.

Ich weiß nicht, ob Maria etwas genommen hat, als sie mit diesem Typ zusammen war, und ob auch sie dazu neigte, sich unterzuordnen, aber auf mich wirkte sie clean. Sie arbeitete in einem kleinen Lebensmittelladen, und ich überprüfte hin und wieder, ob alles in Ordnung war und ihr Junkie nicht doch aufgetaucht war, um sie wieder in den Dreck zu ziehen. Natürlich achtete ich darauf, dass sie mich nicht sah. Ich stand draußen im Dunkeln und sah in den hell erleuchteten Laden. Sie saß an der Kasse, tippte die Waren ein und zeigte auf eine ihrer Kolleginnen, wenn jemand sie ansprach. Vermutlich haben wir alle irgendwann das Bedürfnis, wie unsere Eltern zu sein. Ich weiß nicht, ob es an meinem Vater etwas gab, dem ich nacheifern wollte, aber vermutlich ging es bei mir ohnehin nur um meine Mutter. Sie verstand es besser, sich um andere als um sich selbst zu kümmern, und für mich war das damals wohl so eine Art Ideal. Was weiß ich. Ich hatte ohnehin nichts, wofür ich das Geld ausgeben konnte, das ich bei Hoffmann verdiente. Warum dann nicht einer jungen Frau aus der Patsche helfen, die eine Pechsträhne hinter sich hatte?

Also, zusammenfassend lässt sich sagen, dass ich es nicht schaffe, langsam zu fahren, dass ich weich wie Butter bin, mich viel zu schnell verliebe und den Kopf verliere, wenn ich in Wut gerate. Und dass ich schlecht in Mathe bin. Ich habe eine Menge gelesen, weiß aber wenig und sicher nichts Nützliches. Und ich schreibe langsamer, als ein Stalaktit wächst.

Wieso also kann ein Mann wie Daniel Hoffmann jemanden wie mich brauchen?

Die Antwort lautet – das sollte mittlerweile deutlich geworden sein – als Expedient.

Ich brauche nicht zu fahren, ich töte in der Regel Männer, die es irgendwie verdient haben, und viel rechnen muss ich dabei auch nicht. Bislang jedenfalls nicht.

Dabei stellt sich allerdings die Frage: Wann weiß man so viel über seinen Chef, dass der sich Sorgen zu machen beginnt und immer häufiger überlegt, ob er seinen Expedienten nicht besser expedieren sollte. Es war wie mit der Schwarzen Witwe. Ich weiß nicht viel über Arachnologie, geschweige denn, was das Wort bedeutet, aber lassen die Witwen sich nicht von den viel kleineren Männchen begatten, um diese dann, wenn sie nicht mehr gebraucht werden, aufzufressen?

In *Brehms Tierleben, Band 2: Vielfüßler, Insekten und Spinnenkerfe*, das in der Deichmanske Bibliothek steht, findet sich auf jeden Fall das Bild einer Schwarzen Witwe, in deren Geschlechtsöffnung noch der Pedipalpus, so etwas wie das Fortpflanzungsorgan der männlichen Spinne, und Reste des von ihr verschlungenen Hinterleibs stecken. Sogar der charakteristische blutrote, sanduhrförmige Fleck ist noch zu erkennen. Die Uhr tickt, du dummer, kleiner, pathetischer Kerl, erkundige dich bloß danach, wann die Besuchszeit zu Ende geht. Denn dann solltest du schleunigst das Weite suchen und selbst mit ein oder zwei Kugeln im Bauch – oder wo auch immer – zu dem gehen, der dir dann noch helfen kann.

Ja, das war wirklich meine Meinung. Tu, was du tun musst, aber geh nie zu nah ran.

Und genau deshalb gefiel mir der neue Auftrag von Hoffmann ganz und gar nicht.

Ich sollte seine Frau expedieren.

KAPITEL 2

»Ich will, dass es wie ein Einbruch aussieht, Olav.«
»Warum?«, fragte ich.
»Weil es nach etwas anderem aussehen muss, als es in Wahrheit ist. Die Polizei hängt sich bei Privatpersonen viel stärker rein, manchmal reagiert sie geradezu hysterisch. Und wenn eine Frau, die einen Geliebten hat, tot aufgefunden wird, deutet doch immer alles auf den Ehemann hin. In neunzig Prozent der Fälle zu Recht.«
»Vierundsiebzig, Sir.«
»Sorry?«
»Hab ich irgendwo gelesen, Sir.«
Eigentlich nennt man in Norwegen niemanden »Sir«, wie hoch er auch über einem stehen mag. Mit Ausnahme der Königsfamilie natürlich, die mit »Eure Königliche Hoheit« angesprochen wird. Daniel Hoffmann hätte das bestimmt auch gefallen. Den Titel »Sir« hatte er zusammen mit einer ledernen Sitzgarnitur, einem dunklen Mahagoniregal und einer Reihe ledergebundener Bücher mit alten, vergilbten Seiten, die nie jemand gelesen hatte, aus England importiert.

Bestimmt Klassiker, aber mir sagten nur die bekanntesten Namen etwas: Dickens, Brontë und Austen. Auf jeden Fall machten die toten Dichter die Luft in seinem Büro so trocken, dass ich noch lange nach meinen Besuchen dort staubige Zellulose hustete. Ich weiß nicht, warum Hoffmann so fasziniert von England war. Er war während des Studiums eine Zeitlang dort gewesen und mit einem Koffer voller Tweedanzüge, Ambitionen und einem aufgesetzten Oxford-Akzent nach Norwegen zurückgekehrt. Aber ohne Examen oder andere Einsichten, als dass sich alles nur um das leidige Geld drehte. Und dass man, wollte man erfolgreich Geschäfte machen, da ansetzen musste, wo die Konkurrenz am schwächsten war. In Oslo war das damals der Frauenhandel. Ich glaube, die Analyse der Situation war letztendlich ganz einfach. Daniel Hoffmann sagte sich, dass er auf einem Markt, auf dem sich Scharlatane, Idioten und Amateure tummelten, selbst in all seiner Mittelmäßigkeit zur Nummer eins werden konnte. Es kam nur darauf an, moralisch die nötige Flexibilität zu beweisen, wenn man Tag für Tag junge Frauen rekrutieren und auf den Strich schicken wollte. Nach einer anfänglich noch vorsichtigen Testphase war sich Daniel Hoffmann sicher, dass er durchaus das Zeug dazu hatte. Ein paar Jahre später expandierte er in den Heroinmarkt. Zu diesem Zeitpunkt sah er sich selbst schon als erfolgreich an. Und da der Osloer Heroinmarkt damals in der Hand von Leuten war, die nicht nur Scharlatane, Idioten und Amateure, sondern noch dazu drogenabhängig waren, und Hoffmann erneut die notwendige moralische Flexibilität an den Tag legte, die es braucht, wenn man junge Menschen in die Drogenhölle schicken will, wurde auch dies zu einer Erfolgsgeschichte. Das einzige Problem für Hoffmann war der Fischer. Ein Konkurrent neueren Datums, der auf den Heroinmarkt drängte und der, wie sich zeigte, leider kein Idiot war. Es hätte in Oslo sicher genug Junkies für beide gegeben, aber das hinderte sie nicht daran, alles nur Erdenkliche zu tun, sich gegenseitig die Köpfe einzuschlagen. Warum? Tja. Ich nehme an, dass keiner von beiden mein Talent hatte, sich unterzuordnen. Und dann gibt es immer Probleme, wenn Menschen, die regieren *müssen*, die den Thron haben *müssen*, entdecken, dass ihre Frauen untreu sind. Ich glaube, Leute wie Daniel Hoffmann könnten ein besseres und einfacheres Leben haben, wenn sie in der Lage wären, einfach mal ein Auge zuzudrücken und ihren Frauen die eine oder andere Affäre zu verzeihen.

»Ich hatte eigentlich vor, Weihnachtsferien zu machen«, sagte ich. »Wollte wen einladen und eine Zeitlang verschwinden.«

»Eine Reisebegleitung? Ich hätte nicht gedacht, dass du mit jemandem so intim bist, Olav. Genau das gefällt mir so an dir. Du hast niemanden, dem du deine Geheimnisse anvertrauen kannst.« Er lachte und klopfte die Asche von der Zigarre. Ich war nicht sauer, er meinte es nur gut. Auf der Banderole stand *Cohiba*. Irgendwo habe ich gelesen, dass um die Jahrhundertwende herum Zigarren die häufigsten Weihnachtsgeschenke waren, zumindest in der westlichen Welt.

Vielleicht wäre das eine Idee? Aber ich wusste ja nicht einmal, ob sie rauchte. Bei der Arbeit hatte sie nie geraucht.

»Ich habe noch nicht gefragt«, sagte ich. »Aber ...«

»Ich zahle dir das fünffache Honorar«, sagte Hoffmann. »Wenn du willst, kannst du deine Angebetete dann unbegrenzt mit in die Ferien nehmen. Natürlich nur, wenn du willst.«

Ich versuchte nachzurechnen, hatte dabei aber – wie gesagt – meine Schwierigkeiten.

»Hier ist die Adresse«, sagte Hoffmann.

Ich arbeitete seit vier Jahren für ihn, ohne zu wissen, wo er wohnte. Warum sollte ich das wissen? Er wusste ja auch nicht, wo ich wohnte. Seine neue Frau hatte ich ebenfalls noch nicht zu Gesicht bekommen, wohl aber Pines ständiges Gelaber gehört, was das für eine heiße Biene sei und dass er ein Vermögen machen könnte, wenn er genau solche Vögelchen auf der Straße hätte.

»Sie ist die meiste Zeit allein zu Hause«, sagte Hoffmann. »Wenn es stimmt, was sie sagt. Mach deine Arbeit so, wie du es für richtig hältst, Olav. Ich vertraue dir. Je weniger ich weiß, desto besser. Verstanden?«

Ich nickte. Je weniger, dachte ich, desto besser.

»Olav?«

»Ja, Sir, verstanden.«

»Gut«, sagte er.

»Geben Sie mir bis morgen Zeit, um darüber nachzudenken, Sir?«

Hoffmann zog eine seiner sorgfältig gebürsteten

Augenbrauen hoch. Ich weiß nicht viel über Evolution oder solche Sachen, aber war Darwin nicht der Meinung, dass es nur sechs universelle Gesichtsausdrücke gibt, mit denen die Menschen ihre Gefühle ausdrücken? Ich habe keine Ahnung, ob Hoffmann sechs menschliche Gefühle hatte, dachte aber, dass er mit dieser hochgezogenen Braue – im Gegensatz zu einem offen stehenden Mund – leichte Überraschung, Skepsis und Intelligenz zum Ausdruck bringen wollte.

»Ich habe dir gerade die Details genannt, Olav. Und jetzt – hinterher – überlegst du, den Auftrag *abzulehnen*?«

Die Drohung war kaum hörbar. Oder vielleicht doch, sonst hätte ich sie vermutlich nicht mitbekommen, taub wie ich für menschliche Zwischentöne bin. Wir sollten also wohl davon ausgehen, dass die Drohung ziemlich deutlich war. Daniel Hoffmann hatte blaue, klare Augen, eingerahmt von schwarzen Wimpern. Wäre er eine Frau gewesen, hätte ich diese Wimpern für unecht gehalten. Ich weiß nicht, warum ich das erwähne, es hat nichts mit der Sache zu tun.

»Sie haben mir die Details genannt, ohne dass ich überhaupt etwas sagen konnte, Sir«, sagte ich. »Sie kriegen meine Antwort heute Abend, ist das in Ordnung?«

Er sah mich an. Blies den Zigarrenrauch in meine Richtung. Ich hatte die Hände in den Schoß gelegt und drehte den Hut, den ich nicht hatte.

»Vor sechs«, sagte er. »Sonst bin ich weg.«

Ich nickte.

Als ich im Schneetreiben durch die Stadt nach Hause ging, war es vier Uhr. Die Dunkelheit hatte sich nach den wenigen dämmrigen Stunden bereits wieder über die Straßen gesenkt. Es windete noch immer, gesichtsloses Pfeifen aus den dunklen Gassen. Aber ich glaube, wie gesagt, nicht an Geister. Der Schnee unter meinen Stiefeln knackte morsch wie alte Buchseiten, ich dachte nach. In der Regel versuche ich das zu vermeiden, weil ich festgestellt habe, dass ich darin nicht besonders gut bin und es auch zu nichts führt. Aber ich war damit wieder bei der Grundsatzfrage angelangt. Das Expedieren als solches sollte kein Problem sein. War vermutlich einfacher als die anderen Aufträge, die ich ausgeführt hatte. Auch dass sie sterben sollte, war in Ordnung. Ich bin, wie gesagt, der Meinung, dass man – Mann oder Frau – die Konsequenzen seiner Fehler tragen muss. Bedeutend größere Sorgen machte mir, was hinterher geschehen würde. Schließlich war ich dann derjenige, der Daniel Hoffmanns Frau getötet hatte. Jemand, der alles wusste und die Macht hatte, über Daniel Hoffmanns Schicksal zu entscheiden, wenn die Polizei ihre Ermittlungen erst einmal aufgenommen hatte. Und Hoffmann war nicht fähig, sich unterzuordnen, und schuldete mir, Olav, das fünffache Honorar.

Warum bot er mir für einen derart durchschnittlichen Job so viel?

Irgendwie hatte ich das Gefühl, gerade mit vier schwerbewaffneten und von Natur aus misstrauischen schlechten Verlierern an einem Pokertisch zu sitzen und vier Asse auf die Hand bekommen zu haben, einfach so. Manchmal sind gute Nachrichten in Wahrheit schlechte.

Okay, ein kluger Pokerspieler hätte die Karten sicher auf den Tisch geworfen, die unausweichliche Niederlage in Kauf genommen und auf besseres – angemesseneres – Glück in der nächsten Runde gehofft. Mein Problem war, dass es bereits zu spät war, um aus diesem Spiel auszusteigen. Ich wusste, dass Hoffmann für den Mord an seiner Frau verantwortlich war, ob sie nun durch mich oder durch einen anderen ums Leben kam.

Als ich bemerkte, wohin meine Schritte mich geführt hatten, blickte ich hoch und starrte ins Licht.

Sie hatte die Haare hochgesteckt, genau wie meine Mutter es immer getan hatte. Nickte den Kunden lächelnd zu, die sie ansprachen. Die meisten wussten sicher, dass sie taubstumm war. Sagten »Frohe Weihnachten« oder »Auf Wiedersehen«. Ganz normale Dinge, die ganz normale Menschen zueinander sagen.

Das fünffache Honorar. Nie endende Weihnachtsferien.

KAPITEL 3

Am nächsten Tag bezog ich ein Zimmer in der Pension schräg gegenüber von Hoffmanns Wohnung in der Bygdøy allé. Ich wollte mir ein paar Tage lang einen Überblick verschaffen, was seine Frau so unternahm. Ging sie irgendwohin, wenn ihr Mann bei der Arbeit war, oder bekam sie Besuch? Ich wollte gar nicht wissen, wer ihr Lover war, es ging mir lediglich darum, den günstigsten, am wenigsten risikoreichen Zeitpunkt für die Aktion zu ermitteln. Sie musste allein zu Hause sein, und wir durften nicht gestört werden.

Wie sich zeigte, hatte ich von meinem Zimmer die perfekte Aussicht. Ich sah nicht nur, wann Corina Hoffmann kam und ging, sondern konnte auch beobachten, was sie in der Wohnung so trieb. Gardinen schienen sie dort drüben nämlich nicht nötig zu finden. Warum auch, wenn man in einer Stadt wohnte, in der es keine Sonne zum Aussperren gab und in der es den Leuten auf der Straße nicht darum ging, das Leben der anderen zu beobachten, sondern schnellstmöglich ins Warme zu kommen.

In den ersten Stunden war drüben niemand zu sehen. Nur das hell erleuchtete Wohnzimmer. Die Möbel sahen weniger englisch als französisch aus, besonders das merkwürdige Sofa mitten im Raum, das nur eine schmale Rückenlehne hatte. Vermutlich war das eins dieser Dinger, das die Franzosen als Chaiselongue bezeichnen, was – wenn mein Französischlehrer mir keinen Unsinn erzählt hatte – so etwas wie *langer Stuhl* heißt. Gewundene, asymmetrische Schnitzereien und ein Polsterbezug mit Naturmotiven. Rokoko stand in dem Kunstgeschichtsbuch meiner Mutter, aber ebenso gut konnte dieses Ding natürlich auch aus der Werkstatt eines Schreiners aus unserer Gegend stammen und irgendwo auf traditionelle Weise bemalt worden sein. Auf jeden Fall kein Möbelstück, das ein junger Mensch ausgesucht hätte, deshalb tippte ich auf Hoffmanns Exfrau. Pine sagte, Hoffmann habe sie gleich nach ihrem fünfzigsten Geburtstag rausgeschmissen. *Weil* sie 50 geworden war. Und weil ihr Sohn ausgezogen war und sie im Haus nun keine Funktion mehr hatte. Laut Pine hatte er ihr das alles direkt ins Gesicht gesagt, und sie soll das für eine Wohnung am Meer und einen Scheck über 1,5 Millionen auch geschluckt haben.

Um die Zeit sinnvoll zu füllen, nahm ich die Blätter mit dem Kram, an dem ich schreibe, raus. Nichts Besonderes, nur Kritzeleien. Nein, das stimmt nicht, es war ein Brief. Ein Brief an jemanden, von dem ich nicht wusste, wer er war. Oder vielleicht doch? Ich bin beileibe kein begnadeter Schreiber, mache ständig

Fehler und muss vieles durchstreichen. Für jedes stehen gebliebene Wort ist viel Tinte und Papier draufgegangen, um es mal so zu sagen. Das Ganze zog sich auch an diesem Tag derart hin, dass ich die Blätter schließlich beiseitelegte, mir eine Zigarette anzündete und mich stattdessen etwas in Träumen verlor.

Ich war noch nie jemandem aus Hoffmanns Familie begegnet – wie bereits erwähnt –, begann jetzt aber, sie mir drüben in der Wohnung vorzustellen. Ich schaue gerne bei anderen rein. Das hat mir schon immer gefallen. Ich begann also, mir das Leben der Familie auszumalen. Der neunjährige Sohn war gerade von der Schule nach Hause gekommen, saß im Wohnzimmer und las all die merkwürdigen Bücher, die er sich in der Bücherei ausgeliehen hatte. Die Mutter sang leise vor sich hin, während sie in der Küche das Essen zubereitete. Mutter und Sohn erstarrten für einen kurzen Moment, als die Wohnungstür aufging, atmeten aber erleichtert auf, als der Mann klar und fröhlich »Ich bin zu Hause« rief. Sie liefen in den Flur und umarmten ihn.

Mitten in einem dieser angenehmen Gedankenspielchen trat Corina Hofmann aus dem Schlafzimmer ins Wohnzimmer, und alles veränderte sich.

Das Licht.

Die Temperatur.

Die Grundsatzfrage.

An diesem Nachmittag ging ich nicht zum Lebensmittelladen wie sonst so oft.

Ich wartete nicht darauf, dass Maria das Geschäft abschloss, folgte ihr nicht in sicherem Abstand bis zur U-Bahn und stellte mich auch nicht im vollbesetzten Wagen dicht hinter sie in die Mitte des Gangs, wo sie immer stand, selbst wenn es freie Sitzplätze gab. An diesem Nachmittag flüsterte ich ihr keine Worte ins Ohr, die nur ich hören konnte, sondern saß im Dunkeln in einem Zimmer und starrte wie gebannt auf die Frau auf der anderen Seite der Straße. Corina Hoffmann. Ich konnte sagen, was ich wollte und so laut ich es wollte, es konnte mich niemand hören. Und ich brauchte sie auch nicht von hinten anzusehen, den Knoten ihrer Haare anzustarren und mir eine Schönheit vorzustellen, die es gar nicht gab.

Seiltänzerin, war mein erster Gedanke, als ich Corina Hoffmann ins Zimmer kommen sah. Sie trug einen weißen Frotteebademantel und bewegte sich wie eine Katze. Damit meine ich nicht, dass sie im Passgang lief wie einige Säugetiere, zum Beispiel Katzen und Kamele, wenn sie die Beine der einen Seite bewegen, bevor sie die beiden anderen nachziehen ... Das habe ich jedenfalls gehört. Damit will ich sagen, dass Katzen – wenn ich das richtig verstanden habe – sozusagen auf Zehenspitzen laufen und die Hinterpfoten in die Spur der Vorderpfoten setzen. Genau so machte es Corina. Sie setzte die nackten Zehen mit gestrecktem Fuß auf und schob den anderen Fuß dicht hinter den ersten. Wie eine Seiltänzerin.

Alles an Corina Hoffmann war schön. Das Gesicht mit den hohen Wangenknochen, die Brigitte-Bardot-

Lippen, die blonden, ungekämmten, glatten Haare. Die langen, schlanken Arme, die aus den weiten Ärmeln des Morgenrocks ragten und im Dekolleté der obere Rand ihrer Brüste, so weich, dass sie sich bei jedem Schritt und jedem Atemzug bewegten. Und die weiße, weiße Haut auf Armen, Gesicht, Brüsten, Beinen. Mein Gott, sie war wie eine frische Schneefläche in der flirrenden Sonne, ließ jeden Mann in kürzester Zeit blind werden. Kurzum, alles an Corina Hoffmann gefiel mir. Alles, bis auf den Nachnamen.

Sie schien sich zu langweilen. Trank Kaffee. Telefonierte. Blätterte in einem Magazin, ignorierte die Zeitungen. Sie verschwand im Bad, kam aber gleich wieder raus, noch immer im Morgenmantel. Sie legte eine Platte auf und machte ein paar Tanzschritte. Es schien Swing zu sein. Dann aß sie etwas. Sah auf die Uhr. Es war bald sechs. Sie zog sich ein Kleid an, kämmte sich die Haare und legte eine andere Platte auf. Ich öffnete das Fenster und versuchte, etwas zu hören, aber der Verkehr war zu dicht. Dann nahm ich wieder das Fernglas und starrte auf das Plattencover, das sie auf den Wohnzimmertisch gelegt hatte. Es schien das Bild eines Komponisten zu zeigen. Antonio Lucio Vivaldi? Keine Ahnung. Der Punkt war, dass die Frau, zu der Daniel Hoffmann um Viertel nach sechs nach Hause kam, eine ganz andere war als die, mit der ich den Tag bis dahin verbracht hatte.

Sie umkreisten einander. Berührten sich nicht. Redeten nicht. Wie zwei Elektronen, die sich abstießen, weil sie beide die gleiche, negative Ladung hatten.

Schließlich schlossen sie aber die Tür des gleichen Schlafzimmers hinter sich.

Ich legte mich hin, konnte aber keine Ruhe finden.

Was lässt uns erkennen, dass wir sterben werden? Was passiert an dem Tag, an dem wir verstehen, dass es nicht nur eine ferne Möglichkeit ist, sondern eine verdammte Tatsache, dass unser Leben zu Ende gehen wird? Bestimmt erlebt das jeder anders, aber für mich war es der Moment, in dem ich meinen Vater sterben sah. Zu beobachten, wie banal und physisch das ist. Wie bei einer Fliege auf dem Fensterbrett. Interessanter ist deshalb, was uns – trotz der Erkenntnis, die wir gewonnen haben – später wieder daran zweifeln lässt? Sind wir klüger geworden? Wie dieser Philosoph – irgendein David Soundso –, der geschrieben hat, dass auch wenn etwas wieder und wieder geschieht, es niemals sicher ist, dass es wirklich noch einmal geschieht. Ohne logischen Beweis *wissen* wir nicht sicher, dass die Geschichte sich wiederholt. Oder sind wir bloß älter und ängstlicher geworden, weil der Moment näher rückt? Natürlich kann es auch einen ganz anderen Grund geben. Einen Augenblick, in dem wir plötzlich etwas sehen, von dem wir nicht wussten, dass es existiert? Etwas spüren, von dem wir nicht wussten, dass wir es überhaupt spüren konnten? Wie wenn man an die Wand klopft, es hohl klingt, und man plötzlich erkennt, dass dahinter noch ein anderer Raum liegt? Plötzlich lodert Hoffnung auf, schmerzhafte, nervenzerreißende Hoffnung, die an einem nagt und die man nicht ignorieren kann. Hoffnung, dass es einen

Fluchtweg gibt, auf dem man den Tod austricksen kann, einen geheimen Weg zu einem Ort, den man vorher nicht kannte. Einen Sinn. Eine Geschichte.

Am nächsten Morgen stand ich zeitgleich mit Daniel Hoffmann auf. Als er die Wohnung verließ, war es noch stockfinster. Er wusste nicht, dass ich da war. Er *wollte* es ja nicht wissen, jedenfalls hatte er das gesagt. Ich setzte mich auf den Stuhl am Fenster und wartete auf Corina. Nahm meine Blätter heraus und buchstabierte mich durch mein Briefprojekt. Die Worte waren unbegreiflicher denn je, und das wenige, das ich verstand, kam mir plötzlich irrelevant und tot vor. Warum schmiss ich den Scheiß nicht einfach weg? Bloß weil ich so lange für diese jämmerlichen Sätze gebraucht hatte? Ich legte die Blätter beiseite und beobachtete das öde Leben auf den winterlichen Straßen Oslos, bis Corina kam.

Der Tag verlief in etwa so wie der vorangegangene. Sie machte einen kleinen Spaziergang, und ich folgte ihr. Bei Maria habe ich gelernt, wie man jemandem am effektivsten folgt, ohne bemerkt zu werden. Corina kaufte in einem Laden einen Schal, trank in einer Konditorei mit einer Freundin – so deutete ich das jedenfalls – einen Tee. Dann ging sie wieder nach Hause.

Es war noch nicht spät, erst zwei Uhr nachmittags, und ich kochte mir eine Tasse Kaffee. Sah sie auf der Chaiselongue mitten im Wohnzimmer liegen. Sie hatte sich umgezogen. Ein anderes Kleid. Der Stoff umspielte ihren Körper, wenn sie sich bewegte. Eine Chaiselongue ist ein seltsames Möbelstück, irgendwie nichts Halbes und nichts Ganzes. Wenn Corina sich umdrehte, um eine bequemere Liegeposition einzunehmen, geschah auch dies überlegt, langsam und selbstbewusst. Als wüsste sie, dass ich sie betrachtete. Dass sie begehrt wurde. Sie sah auf die Uhr, blätterte in ihrem Magazin, es war dasselbe wie am Tag zuvor. Dann erstarrte sie beinahe unmerklich.

Ich hatte die Klingel nicht gehört.

Sie stand auf, ging mit ihren weichen, katzengleichen Bewegungen zur Tür und öffnete.

Er war dunkel, schmächtig und in ihrem Alter.

Er trat ein, schloss die Tür hinter sich, hängte seine Jacke auf und kickte sich die Schuhe von den Füßen. Es war klar, dass er nicht zum ersten Mal in dieser Wohnung war. Und auch nicht zum zweiten Mal. Daran gab es keinen Zweifel. Aber die hatte es ja ohnehin nicht gegeben. Warum hatte ich trotzdem welche gehabt? Weil ich es wollte?

Er schlug sie.

Im ersten Moment war ich so baff, dass ich glaubte, nicht richtig gesehen zu haben. Doch dann tat er es noch einmal. Er schlug ihr mit der flachen Hand hart ins Gesicht. Ihr Kopf flog zur Seite, und die blonden Haare schoben sich zwischen seine Finger. Ich sah an ihrem Mund, dass sie schrie.

Mit einer Hand umfasste er ihre Kehle, während er ihr mit der anderen das Kleid vom Leib riss.

Und da stand sie, mitten im Zimmer unter der

Lampe. Ihre nackte Haut war so weiß, dass ihr Körper eine konturlose Fläche bildete. Man sah nur Weiß, undurchdringliches Weiß, wie Schnee an einem wolkenverhangenen oder nebligen Tag.

Er nahm sie auf der Chaiselongue. Kniete, die Hose bis an die Knöchel heruntergelassen, am lehnenlosen Ende, während sie auf dem hellen Bezug mit einer harmonischen, idealisierten europäischen Waldlandschaft lag. Er war mager. Ich beobachtete das Spiel der Muskeln auf seinen Rippen. Seine Gesäßmuskulatur spannte und entspannte sich wie ein Blasebalg. Er zitterte und bebte wie wütend darüber, nichts ... nicht mehr tun zu können. Sie lag mit gespreizten Beinen da, passiv, wie eine Tote. Ich wollte wegsehen, aber es gelang mir nicht. Sie so zu sehen, erinnerte mich an etwas. Nur wusste ich nicht, an was.

Erst nachts, als es still war, fiel es mir wieder ein. Ich träumte von einem Bild, das ich als Junge in einem Buch gesehen hatte. *Das Reich der Tiere, Band 1: Säugetiere*, aus der Deichmanske Bibliothek. Aufgenommen in der Serengeti in Tansania oder irgendwo dort in der Nähe. Drei wütende, erregte, abgemagerte Hyänen, die selber Beute gemacht oder die Löwen von deren Beute vertrieben hatten. Zwei von ihnen standen mit angespannten Hinterteilen da, die Köpfe tief im Bauch eines Zebras versenkt. Die dritte hatte sich der Kamera zugewandt und fletschte die spitzen Zähne. Aber es war der Blick des Tieres, an den ich mich am besten erinnerte. Der Blick der gelben Augen in die Kamera, der mir von der Buchseite entgegenblitzte. Es war eine Warnung. *Du hast hier nichts verloren, das ist unsere Beute. Verschwinde! Sonst töten wir auch dich.*

KAPITEL 4

Wenn ich in der U-Bahn hinter dir stehe, beginne ich immer erst dann zu sprechen, wenn unser Waggon auf den Weichen ist. Genau dort, wo das Gleis sich teilt und tief unter uns klickend und klackend Metall auf Metall schlägt. Ein Geräusch, das für mich immer eng mit Ordnung verbunden ist, mit Schicksal, damit, dass etwas an den richtigen Platz fällt. Der Zug ruckt leicht zur Seite, und alle, die keinen Sitzplatz haben, geraten für einen Moment aus dem Gleichgewicht und greifen nach etwas, woran sie sich festhalten können. Der Gleiswechsel verursacht so viel Lärm, dass ich sagen kann, was ich sagen will. Dass ich flüstern kann, was ich flüstern will. Genau dort, wo niemand sonst mich hören kann. Du schon gar nicht. Nur ich selbst höre mich.

Und was sage ich dir dann?

Ich weiß es nicht. Was mir spontan durch den Kopf schießt. Dinge, von denen ich nicht weiß, woher sie kommen oder was sie bedeuten. Doch schon, in dem Moment weiß ich es vermutlich. Denn du bist schön, ja auch du. Wenn ich im Gedränge dicht hinter dir stehe, nur den Knoten deines Haars sehe und mir den Rest vorstellen muss.

Ich kann mir dich nicht anders als dunkel vorstellen, und das ist auch gut so. Du bist nicht so hell wie Corina. Hast keine so prall mit Blut gefüllten Lippen, dass man hineinbeißen möchte. Keine Musik im Schwung deines Rückens oder in den Kurven der Brüste. Du bist einfach immer da gewesen, wo niemand sonst da war. Hast eine Leere gefüllt, von der ich nicht einmal wusste, dass sie existierte.

Du hast mich zu dir zum Essen eingeladen, damals, als ich dich aus dem Schlamassel geholt hatte. Als Dankeschön, denke ich. Hast die Einladung auf einen Zettel geschrieben und ihn mir gegeben, und ich habe zugesagt. Wollte es dir aufschreiben, aber dein Lächeln zeigte mir, dass du verstanden hattest.

Aber ich bin nie gekommen.

Warum nicht?

Tja.

Ich bin ich, und du bist du?

Oder was würdest du dazu sagen?

Vielleicht war es aber auch noch einfacher? Weil du lahm und taubstumm bist. Und weil ich selbst schon ausreichend geschlagen bin, mit all dem, was ich nicht kann. Von dieser einen Sache abgesehen. Außerdem, worüber hätten wir reden sollen? Du hättest sicher vorgeschlagen, dass wir uns Nachrichten schreiben, aber ich bin ja nicht so gut im Schreiben, bin wortblind. Legastheniker. Falls ich das noch nicht gesagt habe, weißt du es jetzt.

Und Maria, vielleicht verstehst du ja, dass es einen Mann nicht gerade anmacht, wenn du laut und schrill lachst, wie eben Taubstumme lachen, weil ich gerade die Worte »Du hast so schöne Augen« zu Papier gebracht habe. Mit vier Schreibfehlern.

Aber egal. Ich bin nicht gekommen. Das langt.

Daniel Hoffmann wollte wissen, warum es so lange dauere, den Job auszuführen.

Ich habe ihn daraufhin gefragt, ob er nicht auch sicher sein wolle, dass keine Spur zu einem von uns führe, bevor ich loslegte. Und natürlich wollte er das.

Also beobachtete ich weiter die Wohnung.

In den folgenden Tagen kam der Mann jeden Tag zur gleichen Zeit. Immer kurz nach drei, wenn es fast schon wieder dunkel war. Er betrat die Wohnung, hängte seinen Mantel auf und schlug sie. Immer auf die gleiche Weise. Erst hielt sie die Arme abwehrend in die Höhe. Ich sah ihrem Mund und ihren Halsmuskeln an, dass sie ihn anschrie, ihn anflehte, aufzuhören. Aber er hörte nicht auf. Nicht bevor ihr Tränen über die Wangen liefen. Dann – und erst dann – riss er ihr das Kleid vom Leib. Jedes Mal ein neues Kleid. Er nahm sie auf der Chaiselongue. Hatte sie ganz offensichtlich vollkommen in der Hand. Ich würde sagen, dass sie hoffnungslos in ihn verliebt war. Wie Marie in ihren Junkie verliebt gewesen war. Manche Frauen wissen nicht, was für sie das Beste ist, sie streuen einfach ihre Liebe aus, ohne irgendetwas zurückzuverlangen. Ja, dass nichts zurückkam, schien sie regelrecht zu fesseln und zu erregen. Vielleicht wartete sie die ganze Zeit darauf, irgendwann ihren Lohn zu bekommen. Eine Liebe, ebenso hoffnungsvoll wie hoffnungslos. Jemand sollte sie aufklären, dass die Welt so nicht funktionierte.

Ich glaube aber nicht, dass Corina verliebt war. Sie reagierte in einer anderen Sprache. Sie streichelte ihm zwar nach der Liebe über den Rücken und begleitete ihn zur Tür, wenn er eine Dreiviertelstunde nach seinem Kommen wieder ging, umarmte ihn flüchtig und flüsterte ihm eventuell etwas Nettes ins Ohr. Aber sie wirkte beinahe erleichtert, kaum dass er aus der Tür war. Und ich glaube, ich weiß, wie Verliebtheit aussieht. Warum also war sie – die junge Ehefrau des größten Lieferanten von Ekstase – bereit, alles für eine billige Affäre mit jemandem zu riskieren, der sie noch dazu schlug?

Erst am vierten Nachmittag verstand ich es, und ich fragte mich, wieso ich so lange gebraucht hatte, um darauf zu kommen. Ihr Lover hatte etwas gegen sie in der Hand. Etwas, womit er zu Daniel Hoffmann gehen konnte, wenn sie nicht tat, was er wollte.

Als ich am fünften Tag aufwachte, hatte ich einen Entschluss gefasst.

Ich wollte auf Nebenstraßen ins Ungewisse fahren.

KAPITEL 5

Leichter Schnee fiel.

Als der Mann um drei Uhr eintraf, hatte er ein Geschenk für die Frau dabei. Eine kleine Schachtel. Ich konnte nicht erkennen, was darin war, sah aber, wie das Strahlen ihres Gesichts für einen Moment das nachmittägliche Dunkel vor dem großen Wohnzimmerfenster erhellte. Sie wirkte überrascht. Auch ich war verblüfft, gelobte mir aber, sie würde das Lächeln, das sie ihm geschenkt hatte, auch mir schenken. Ich musste nur alles richtig machen.

Als er kurz nach vier ging – er war länger als sonst bei ihr geblieben –, wartete ich bereits in den Schatten auf der anderen Seite der Straße.

Ich sah ihn in der Dunkelheit verschwinden und blickte nach oben. Sie stand am Wohnzimmerfenster wie auf einer Bühne, hielt die Hand hoch und sah etwas in der Scheibe, das ich nicht erkennen konnte. Dann hob sie plötzlich den Kopf und starrte in den Schatten, wo ich stand. Ich wusste, dass sie mich unmöglich sehen konnte, und dennoch ... Dieser bohrende, suchende Blick. Plötzlich lag in ihrem flehenden Gesicht

so etwas wie Angst und Verzweiflung. *Die Gewissheit,
dass das Schicksal unausweichlich war,* wie es in einem
Buch heißt. In welchem, weiß ich nicht mehr.

Ich umklammerte die Pistole in meiner Manteltasche. Wartete, bis sie sich vom Fenster abwendete, ehe
ich aus dem Schatten trat und mit raschen Schritten
die Straße überquerte. Auf dem Bürgersteig fand ich
seine Stiefelspuren in der feinen Schicht Neuschnee.
Ich folgte ihm schnell.

Hinter der nächsten Ecke sah ich ihn.

Ich hatte natürlich diverse Möglichkeiten durch-
gespielt.

Dass er irgendwo ein Auto stehen hatte. Falls dem
so war, vermutlich in einer Seitenstraße in Frogner.
Das waren stille, dunkle Straßen. Perfekt. Oder er
kehrte irgendwo ein, ging in eine Bar oder ein Re-
staurant. Dann konnte ich warten. Ich hatte alle Zeit
der Welt. Ich *mochte* Warten. Die Zeit zwischen der
eigentlichen Entscheidung und dem Augenblick, in
dem es geschah. Das waren die einzigen Minuten,
Stunden, Tage in meinem vermutlich kurzen Leben,
in denen ich etwas war. Das Schicksal eines anderen.

Er konnte natürlich auch einen Bus oder ein Taxi
nehmen.

Das hätte den Vorteil, dass wir uns noch weiter von
Corina entfernten.

Er ging zur U-Bahn-Station am Nationaltheater.

Auf dem belebten Platz konnte ich etwas näher
zu ihm aufschließen. Er stieg in eine der Bahnen, die
nach Westen fuhren. Also kam er aus gutem Hause. In

diesen Vierteln war ich nicht oft. Zu viel Geld und zu wenig, wofür man es ausgeben könnte, wie mein Vater immer sagte. Ich habe keine Ahnung, was er damit gemeint hat.

Es war nicht die Bahn, die Maria immer nahm, aber der erste Streckenabschnitt war gleich. Ich saß auf dem Sitz hinter ihm. Wir waren noch im Untergrund, aber es gab draußen ja eh keinen Unterschied mehr zwischen Tag und Nacht. Bald hätten wir die Stelle erreicht. Der Stahl würde kreischen und ein Ruck durch den Zug gehen.

Ich spielte mit dem Gedanken, die Mündung der Pistole an die Rückenlehne zu halten und einfach abzudrücken, sobald wir auf der Weiche waren.

Als wir die Weiche passierten, wurde mir erneut bewusst, woran mich das Geräusch von Metall auf Metall erinnerte. Es gab mir ein Gefühl von Ordnung und dass alles an seinen Platz fiel. Schicksal. Es war das Geräusch meiner Arbeit, der beweglichen Teile der Waffe, Hahn und Schlagbolzen, Ladegriff und Patrone.

Wir waren die einzigen Fahrgäste, die in Vinderen ausstiegen. Ich folgte ihm. Der Schnee knirschte. Ich achtete darauf, im Takt mit ihm zu gehen, damit er mich nicht hörte. An beiden Seiten der Straße lagen Einfamilienhäuser, aber trotzdem waren wir so allein wie auf dem Mond.

Ich schloss dicht zu ihm auf, und als er sich halb umdrehte, als wollte er überprüfen, ob sich irgendein Bekannter näherte, schoss ich ihm in den unteren Teil des Rückens. Er sackte an einem Lattenzaun zusammen, und ich drehte ihn mit dem Fuß um. Er starrte mich mit glasigem Blick an, und einen Augenblick lang dachte ich, er wäre tot. Doch dann bewegte er den Mund.

Ich hätte ihm ins Herz schießen können, in den Nacken oder den Hinterkopf. Warum hatte ich ihm erst in den Rücken geschossen? Wollte ich ihn noch etwas fragen? Mag sein, dass das der Grund war, doch jetzt fehlten mir die Worte. Oder es war mir nicht mehr wichtig. Er sah auch von nahem kaum anders aus. Eine Hyäne. Ich schoss ihm ins Gesicht. Eine Hyäne mit blutiger Fratze.

Erst jetzt entdeckte ich den Kopf des Jungen, der über den Lattenzaun guckte. Schneeklumpen klebten an seinen wollenen Handschuhen und an seiner Mütze. Vielleicht hatte er versucht, einen Schneemann zu bauen. Das ist mit Pulverschnee gar nicht so leicht. Das Zeug pappt nicht, alles fällt immer wieder in sich zusammen.

»Ist er tot?«, fragte der Junge und sah auf die Leiche. Es mag komisch klingen, Sekunden nach dem Tod einer Person schon von einer Leiche zu sprechen, aber für mich war es immer genau so.

»Dein Vater?«, fragte ich.

Der Junge schüttelte den Kopf.

Ich weiß nicht, warum ich das dachte. Warum ich plötzlich die Idee hatte, der Junge wäre nur deshalb so ruhig, weil das sein Vater war. Doch, ich glaube, ich weiß es. Ich hätte so reagiert.

»Er wohnt da drüben«, sagte der Junge und streckte einen Arm aus, während er Schneeklumpen vom Handschuh der anderen Hand saugte, ohne den Toten aus den Augen zu lassen.

»Ich werde nicht zurückkommen, um auch dich zu töten«, sagte ich. »Aber vergiss, wie ich aussehe, kapiert?«

»Okay.« Die Wangen pumpten sich um den Schneeklumpen auf und erschlafften wieder, wie bei einem Baby an der Brust.

Ich drehte mich um und ging den gleichen Weg zurück, den ich gekommen war. Ich wischte den Griff der Waffe ab und ließ sie durch einen der Kanalroste fallen, von dem die dünne Schneeschicht weggeschmolzen war. Die Pistole würde gefunden werden, aber von der Polizei und nicht von ein paar unvorsichtigen Jungs. Ich nahm weder die U-Bahn noch den Bus oder ein Taxi. Das war nach einem abgeschlossenen Auftrag tabu. Das Beste war, ganz normal zu gehen und sich umzudrehen und zurück in Richtung Tatort zu gehen, wenn man einen Streifenwagen kommen sah. Ich war schon beinahe im Viertel Majorstua, als ich die ersten Sirenen hörte.

KAPITEL 6

Es war erst ein paar Wochen her, ich wartete wie gewohnt nach Geschäftsschluss hinter den Mülleimern auf dem Parkplatz des Lebensmittelladens. Ich hörte das leise Klicken der Tür, als sie aufging und kurz darauf wieder ins Schloss fiel. Marias Schritte waren am Hinken leicht zu erkennen. Ich blieb noch einen Moment stehen, dann folgte ich ihr. So wie ich das sehe, habe ich sie aber nicht verfolgt. Natürlich entschied sie, wohin wir gingen, und an diesem Tag führte unser Weg nicht direkt zur U-Bahn, sondern erst in einen Blumenladen und dann nach oben zum Friedhof an der Aker Kirche. Es war niemand sonst dort, deshalb wartete ich draußen, damit sie mich nicht sah. Als sie wieder auf die Straße kam, hatte sie die gelben Blumen nicht mehr dabei. Sie ging über den Kirkeveien nach unten in Richtung Haltestelle, während ich mich auf den Friedhof schlich. Ich fand die Blumen auf einem frischen Grab, dessen Erde allerdings schon gefroren war. Der Grabstein war blank und schön. Der Name bekannt. Französisch. Es war ihr Junkie. Ich hatte nicht mitbekommen, dass er gestorben war. Womit ich vermutlich keine Ausnahme war. Sein Todestag war nämlich nicht mit einem genauen Datum, sondern nur mit dem Monat angegeben. Oktober. Dabei habe ich immer gedacht, sie würden das Datum schätzen, wenn sie sich nicht sicher sind, damit der Grabstein nicht so schrecklich leer aussieht inmitten all der Grabsteine auf dem verschneiten Friedhof.

Auf dem Nachhauseweg dachte ich, dass ich Maria jetzt ja eigentlich nicht mehr zu folgen brauchte. Sie war sicher. Ich hoffte jedenfalls, dass sie das so empfand und dass dieser Junkie vielleicht auch im Zug hinter ihr gestanden und geflüstert hatte:»Ich werde nicht zurückkommen, um auch dich zu töten, aber vergiss, wie ich aussehe.« Ja, das hoffte ich wirklich. Ich wollte ihr nicht mehr folgen. Ihr Leben begann neu.

Vor der Telefonzelle im Bogstadveien holte ich tief Luft. Auch mein Leben sollte mit diesem Telefonat neu beginnen. Ich brauchte Daniel Hoffmanns Begnadigung. Für den Anfang. Was danach kam, war unsicher.

»Erledigt«, sagte ich.

»Gut«, sagte er. »Hast du sie expediert?«

»Nicht sie, Sir. Ihn.«

»Wie bitte?«

»Ich habe ihren sogenannten Liebhaber expediert.« Am Telefon reden wir immer von »Expedierung«. Als hätte man einen Brief aufgegeben. Einfach für den Fall, dass wir abgehört werden. »Sie werden ihn nicht mehr sehen, Sir. Und eigentlich waren sie auch gar kein richtiges Liebespaar. Er hat sie dazu gezwungen. Ich bin überzeugt davon, dass sie ihn nicht geliebt hat, Sir.«

Ich hatte schnell gesprochen, schneller als sonst, und eine lange Pause folgen lassen. Daniel Hoffmann atmete schwer durch die Nase. Schnauben, nennt man das wohl eher.

»Du ... du hast Benjamin getötet?«

In diesem Moment wusste ich, dass ich niemals hätte anrufen dürfen.

»Du ... du hast meinen einzigen Sohn ... umgebracht?«

Mein Gehirn registrierte und dechiffrierte die Schallwellen, übersetzte sie in Worte, die es dann zu analysieren begann. Sohn? War das möglich? Ein Gedanke meldete sich. Die Art, wie der Liebhaber sich die Schuhe abgestreift hatte. Als wäre er schon sehr oft dort gewesen. Als hätte er früher dort gewohnt.

Ich legte auf.

Corina Hoffmann starrte mich erschrocken an. Sie hatte sich ein anderes Kleid angezogen. Ihr Haar war noch nass. Es war Viertel nach fünf, und sie hatte – wie an den anderen Tagen auch – geduscht und die Spuren des Toten abgewaschen, bevor ihr Mann nach Hause kam.

Ich hatte ihr gerade gesagt, dass ich den Auftrag hätte, sie zu töten.

Sie wollte mir die Tür vor der Nase zuknallen, aber ich war zu schnell.

Mit dem Fuß im Türspalt drückte ich die Tür auf. Corina taumelte nach hinten ins Licht des Wohnzimmers. Klammerte sich an den langen Stuhl wie eine Schauspielerin auf der Bühne, die mit einer Requisite spielt. »Bitte ...«, begann sie und hielt einen Arm schützend in die Höhe. Ich sah etwas blinken. Ein dicker Ring mit einem Stein. Den hatte ich zuvor noch nicht gesehen.

Ich trat einen Schritt näher.

Sie schrie laut und wild. Packte eine Tischlampe und stürzte sich auf mich. Ich war von dem Angriff so überrascht, dass ich ihrem Schwinger nur knapp ausweichen konnte. Die Wucht des Schlages brachte sie aus der Balance. Ich fing sie auf. Spürte die feuchte Haut unter meinen Handflächen und roch ihr schweres Parfüm. Oder war es ein Duschgel? Ihr Eigengeruch? Ich hielt sie fest und spürte das Pumpen ihrer Lunge. Mein Gott, am liebsten hätte ich sie auf der Stelle genommen. Aber nein, ich war nicht wie er. Ich war nicht wie diese Leute.

»Ich bin nicht hier, um dich zu töten, Corina«, flüsterte ich in ihr Haar. Sog den Duft ein. Er war wie Opium, betäubte mich und schärfte gleichzeitig meine Sinne. »Daniel weiß, dass du einen Lover hattest. Benjamin. Er ist jetzt tot.«

»Ben... Benjamin ist tot?«

»Ja. Und wenn du hier bist, wenn Daniel kommt, tötet er auch dich. Du musst mitkommen, Corina.«

Sie sah mich verwirrt blinzelnd an. »Wohin?«

Die Frage überraschte mich. Ich hatte eher ein »Warum?« erwartet oder ein »Wer bist du?«. Möglicherweise auch ein »Das ist doch alles gelogen!«. Vielleicht verstand sie aber instinktiv, dass ich die Wahrheit sagte und ihr nur wenig Zeit blieb. Auf jeden Fall kam sie gleich zur Sache. Wenn sie nicht so verwirrt und verloren war, dass ihr die Worte einfach so über die Lippen rutschten. »Wohin?«

»In den Raum hinter dem Raum«, sagte ich.

KAPITEL 7

Sie saß zusammengekauert in dem einzigen Sessel meiner Wohnung und starrte mich an. Und war dabei schöner denn je; verängstigt, allein, schutzlos. Abhängig.

Ich hatte ihr unnötigerweise erklärt, dass meine Wohnung nichts Besonderes sei, nur eine simple Junggesellenbude mit einem Wohnzimmer und einem Alkoven. Sauber und ordentlich, aber nichts für eine Frau wie sie. Dafür hatte die Wohnung einen großen Vorteil: Niemand wusste, wo sie war. Was bedeutete, dass auch niemand – und das war absolut wörtlich zu verstehen – wusste, wo ich wohnte.

»Warum nicht?«, fragte sie und umklammerte die Kaffeetasse, die ich ihr gegeben hatte.

Sie hatte um Tee gebeten, aber damit musste sie bis morgen warten. Ich wollte ihr welchen holen, sobald die Geschäfte aufmachten. Ich wusste ja, dass sie morgens Tee trank, hatte das in den letzten fünf Tagen mitbekommen.

»Wenn man so eine Arbeit macht wie ich, ist es besser, wenn niemand die Adresse kennt«, sagte ich.

»Aber ich kenne sie doch jetzt.«

»Ja.«

Wir tranken schweigend unseren Kaffee.

»Heißt das, dass du keine Freunde oder Verwandten hast?«, fragte sie.

»Ich habe eine Mutter.«

»Die nicht weiß ...«

»Nein.«

»Dann weiß sie auch nicht, was für eine Arbeit du machst?«

»Nein.«

»Was hast du ihr gesagt?«

»Expedient.«

»Bei der Post oder in einem Geschäft?«

Ich sah Corina Hoffmann an. Interessierte sie das wirklich, oder wollte sie nur reden?

»Ja.«

»So was.« Sie zitterte und verschränkte die Arme vor der Brust. Ich hatte die Heizung voll aufgedreht, aber die Fenster waren nur einfach verglast, so dass die Kälte nach mehr als einer Woche mit minus zwanzig Grad in die Wohnung eingedrungen war. Ich fingerte an meiner Tasse herum.

»Was willst du machen, Olav?«

Ich stand von meinem Küchenstuhl auf. »Schauen, ob ich eine Decke für dich finde.«

»Ich meine, was sollen *wir* machen?«

Sie war gesund. Es ist ein Zeichen von gesundem Menschenverstand, wenn man das, was man doch nicht ändern kann, beiseitelegt und den Blick nach vorne richtet. Ich wünschte mir, ich könnte das auch.

»Er wird mich suchen, Olav. Uns suchen. Wir können uns nicht bis in alle Ewigkeit hier verstecken. Er wird niemals aufhören zu suchen. Glaub mir, ich kenne ihn. Er würde lieber sterben, als mit dieser Schande zu leben.«

Noch stellte ich die Frage nicht, die im Raum stand. Warum sie etwas mit seinem Sohn angefangen hatte. Stattdessen wollte ich andere, weniger plausible Sachen wissen.

»Wegen der Schande? Nicht, weil er dich liebt?«

Sie schüttelte den Kopf. »Ach, das ist kompliziert.«

»Wir haben viel Zeit«, sagte ich. »Und wie du siehst, habe ich keinen Fernseher.«

Sie lachte.

Ich hatte die Wolldecke noch immer nicht geholt. Oder die Frage gestellt, die mir mehr als alle anderen auf der Zunge brannte: Hast du ihn eigentlich geliebt? Seinen Sohn?

»Olav?«

»Ja?«

Sie senkte die Stimme. »Warum tust du das?«

Ich holte tief Luft. Mit dieser Frage hatte ich gerechnet und mir eine Antwort zurechtgelegt. Mehrere Antworten, falls die erste wirkungslos war. Zumindest hatte ich mir Gedanken über die Antworten gemacht, nur dass sie in diesem Moment alle verschwunden waren, wie weggeblasen.

»Es ist falsch«, sagte ich.

»Was ist falsch?«

»Was er tut. Dass er seine eigene Frau töten will.«

»Und was würdest du tun, wenn deine Frau dich in deinem eigenen Haus mit einem anderen Mann betrügt?«

Da sagte sie etwas.

»Ich glaube, du hast ein gutes Herz, Olav.«

»Gute Herzen gibt's heutzutage im Ausverkauf.«

»Nein, das stimmt nicht. Gute Herzen sind selten. Und immer gefragt. *Du* bist selten, Olav.«

»Ich weiß nicht.«

Sie gähnte und streckte sich. Gelenkig wie eine Schmusekatze. Schultern und Brustkorb gehen bei Katzen eine ganz flexible Verbindung ein, so dass sie überall hinkommen, wo ihr Kopf durchpasst. Für die Jagd ist das praktisch. Für die Flucht auch.

»Wenn du die Wolldecke holen könntest, würde ich jetzt gerne schlafen«, sagte sie. »Das war ein ziemlich aufregender Tag. Zu aufregend.«

»Ich beziehe das Bett noch neu, dann kannst du dort schlafen«, sagte ich. »Das Sofa und ich sind gute alte Freunde.«

»Ach ja?«, sagte sie lächelnd und zwinkerte mir zu, ihre Augen waren groß und blau. »Heißt das, ich bin nicht die Erste, die hier übernachtet?«

»Doch, aber es kommt vor, dass ich beim Lesen auf dem Sofa einschlafe.«

»Was liest du gerade?«

»Nichts Spezielles. Bücher.«

»Bücher?« Sie neigte den Kopf zur Seite und lächelte mich verschmitzt an, als hätte sie mich bei einer Lüge ertappt. »Ich sehe hier nur ein Buch.«

»Bücherei. Bücher brauchen Platz. Aber ich habe gerne Freiraum um mich herum.«

Sie nahm das Buch, das auf dem Wohnzimmertisch lag. »*Die Elenden?* Worum geht es darin?«

»Um ziemlich viel, würde ich sagen.«

Sie zog eine Augenbraue hoch.

»In erster Linie um einen Mann, der Vergebung für seine Sünden erfährt«, sagte ich. »Er nutzt den Rest seines Lebens, um Abbitte zu leisten und ein guter Mensch zu sein.«

»Hm.« Sie wog das Buch in der Hand. »Fühlt sich schwer an. Geht's darin auch um Liebe?«

»Ja.«

Sie legte das Buch weg. »Du hast nicht auf meine Frage geantwortet, was wir tun sollen, Olav.«

»Was wir tun müssen«, sagte ich. »Wir müssen Daniel Hoffmann expedieren, bevor er uns expediert.«

Der Satz hatte idiotisch geklungen, als ich ihn in Gedanken formuliert hatte. Und als ich ihn jetzt laut aussprach, klang er keinen Deut besser.

KAPITEL 8

Früh am nächsten Morgen ging ich in die Pension. Die beiden Zimmer, von deren Fenstern aus man in Hoffmanns Wohnung sehen konnte, waren vermietet. Ich stellte mich draußen im morgendlichen Dunkel hinter einen Lastwagen und sah nach oben zu seinem Wohnzimmer. Wartete. Knetete den Griff der Pistole in meiner Manteltasche. Sonst war er um diese Zeit immer zur Arbeit aufgebrochen. Aber dieser Tag war kein normaler Tag. Das Licht brannte, aber ich konnte nicht erkennen, ob tatsächlich jemand oben in der Wohnung war. Ich war mir ziemlich sicher, dass Hoffmann nicht damit rechnete, dass ich gemeinsam mit Corina in ein Hotel nach Kopenhagen oder Amsterdam geflohen war. Erstens war das nicht mein Stil, und zweitens fehlte mir dazu das Geld. Hoffmann wusste das, schließlich hatte ich um einen Vorschuss gebeten, um meine Schulden zahlen zu können. Er hatte sogar gefragt, wieso ich schon wieder blank sei, schließlich habe ich mich doch gerade erst für zwei Aufträge bezahlt. Ich hatte bloß etwas von einer Altlast gemurmelt.

Wenn Hoffmann davon ausging, dass ich in der

Stadt war, ging er bestimmt auch davon aus, dass ich versuchen würde, ihn zu töten, bevor er mich tötete. Wir kannten einander inzwischen ziemlich gut. Andererseits war ich mir nicht wirklich sicher, da ich mich ja auch schon früher geirrt hatte. Vielleicht war er doch allein in der Wohnung. In diesem Fall gäbe es keine bessere Chance für mich als den Moment, in dem er die Wohnung verließ. Ich musste nur warten, bis die Tür hinter ihm ins Schloss gefallen war, damit er nicht zurücklaufen konnte, musste über die Straße gehen, ihm aus fünf Metern Entfernung zweimal in die Brust schießen und dann aus nächster Nähe noch zwei weitere Male in den Kopf.

Die Hoffnung stirbt zuletzt.

Die Tür ging auf. Er war es.

Und Brynhildsen und Pine.

Brynhildsen mit einem hundefellähnlichen Toupet und dem dünn ausrasierten Bart, der sich wie der Bügel eines Krockettors um seinen Mund zog. Pine trug wie immer die karamellbraune Lederjacke und den kleinen Hut. Er hatte sich eine Zigarette hinters Ohr gesteckt und redete unablässig. Wortfetzen trieben über die Straße.

»Verfluchte Kälte« und »dieses Arschloch«.

Hoffmann blieb im Hauseingang stehen, während seine zwei Wachhunde auf die Straße traten, die Hände tief in den Taschen, und nachsahen, ob die Luft rein war.

Dann gaben sie Hoffmann ein Zeichen und gingen in Richtung Wagen.

Ich duckte mich und lief in die andere Richtung.

Okay. Die Hoffnung starb zuletzt. Jetzt wusste ich auf jeden Fall, dass ihm klar war, welche Lösung unseres Problems mir vorschwebte. Nämlich, dass er starb und nicht ich.

Damit war der Fall klar: Ich musste zu Plan A übergehen.

Mit Plan B hatte ich begonnen, weil mir an Plan A alles missfiel. So einfach war das.

KAPITEL 9

Ich sehe gerne Filme. Nicht so gerne, wie ich lese, aber ein guter Film hat bis zu einem gewissen Grad die gleiche Wirkung. Er verleitet dich, bestimmte Dinge anders zu sehen. Trotzdem hat es kein Film je geschafft, mich davon zu überzeugen, dass zahlenmäßige Überlegenheit und gute Ausrüstung nicht von Vorteil wären. Kämpft ein einzelner Mann gegen eine Gruppe, die ebenso bewaffnet und kampfbereit ist wie er, wird der Mann sterben. Hat eine Seite automatische Waffen, wird die Seite mit den automatischen Waffen gewinnen. Diese Erfahrungen hatte ich mir sehr teuer erkauft, und ich versuchte daher gar nicht erst, mir einzureden, dass es anders war, nur um nicht zum Fischer gehen zu müssen. Es ist einfach so. Und deshalb ging ich zum Fischer.

Der Fischer beherrschte – wie schon erwähnt – neben Hoffmann den Heroinmarkt in Oslo. Dieser Markt war nicht groß, aber da Heroin die alles beherrschende Droge war, die Kunden Geld hatten und die Preise hoch waren, brachte das Ganze guten Profit. Begonnen hatte alles mit der Russenroute – oder der

Nordpassage. Als diese Anfang der siebziger Jahre von den Russen und Hoffmann etabliert worden war, kamen die meisten Drogen noch aus dem Goldenen Dreieck und wurden über die sogenannte Balkanroute via Türkei und Jugoslawien geliefert. Pine hatte unter Hoffmann als Zuhälter gearbeitet, und von ihm wusste ich, dass neunzig Prozent der Huren Heroin nahmen. Ein Briefchen Stoff war für die meisten deshalb eine ebenso gute Währung wie norwegische Kronen. Hoffmann hatte das auf den Gedanken gebracht, den Profit seiner Sex-Dienstleistungen durch billiges Heroin noch zu steigern.

Die Idee dazu stammte aus dem Norden. Genauer gesagt von der kleinen, eigentlich unbewohnten und zwischen Norwegen und der Sowjetunion aufgeteilten Polarinsel Spitzbergen. Beide Länder fördern dort Kohle. Das Leben auf der Insel ist hart und monoton, und Hoffmann hatte von norwegischen Grubenarbeitern die reinsten Horrorgeschichten gehört, wie sich die Russen auf der anderen Seite der Insel den Alltag mit Wodka, Heroin und russischem Roulette versüßten. Hoffmann war daraufhin nach Spitzbergen gereist, hatte die Russen besucht und mit ihnen einen Deal gemacht. Und dabei erfahren, dass das Rohopium aus Afghanistan in der Sowjetunion zu Heroin veredelt und über die Stationen Archangelsk und Murmansk in den Norden geliefert wurde. Ein direkter Export nach Norwegen war unmöglich, da die Kommunisten die Grenzen des Nato-Landes Norwegen intensiv bewachten – und umgekehrt. Aber auf Spitzbergen, wo die Grenze nur von Eisbären und klirrendem Frost bis minus vierzig Grad gesichert wurde, war das kein Problem.

Hoffmanns Kontakt auf der norwegischen Seite schickte die Ware mit dem täglichen Inlandflug nach Tromsø. Dort wurde kein einziger Koffer kontrolliert, obwohl jeder wusste, dass die Grubenarbeiter kanisterweise billigen, steuerfreien Schnaps schmuggelten. Der Zoll schien ihnen diesen kleinen Bonus zu gönnen. Klar gab es Leute, die im Nachhinein argumentierten, es sei schlichtweg unmöglich, so viel Heroin ins Land zu schmuggeln und mit Anschlussflügen oder -zügen und mit Autos weiterzutransportieren, ohne dass jemand davon Wind bekam. Sie glaubten fest daran, dass da auch irgendwelche Beamten die Hand aufgehalten hatten.

Laut Hoffmann war aber nicht eine Krone geflossen, weil die Polizei wirklich nicht gewusst hatte, was da vor ihren Augen ablief. Das änderte sich erst, als am Stadtrand von Longyearbyen ein verlassenes Schneemobil gefunden wurde. Anhand dessen, was der Eisbär vom Fahrer übriggelassen hatte, konnte man erkennen, dass es sich um einen Russen handelte, und im Benzintank fanden sich Plastikbeutel mit insgesamt vier Kilogramm reinem Heroin.

Die Operation wurde auf Eis gelegt, während die Polizei und die Vertreter des Ministeriums wie Bienen ausschwärmten. In Oslo herrschte derweil Heroinpanik. Aber die Gier ist wie Schmelzwasser, ist ein Weg verschlossen, sucht es sich einen neuen. Der Fischer –

er war in erster Linie ein Geschäftsmann – formulierte das folgendermaßen: Nicht gestillte Nachfrage wird gestillt. Er war ein geheimnisvoller Mann mit Walrossbart, und wegen seiner Körperfülle erinnerte er an den Weihnachtsmann, aber dieser Eindruck täuschte, denn wenn es seinem Geschäft zuträglich war, stieß er dir ein Messer direkt zwischen die Rippen. Er hatte ein paar Jahre lang russischen Schnaps geschmuggelt, der von sowjetischen Fischerbooten auf der Barentssee an norwegische Kollegen übergeben und dann zu einer entvölkerten Fischersiedlung gebracht wurde, wo der Fischer eine private Fischfabrik betrieb. Dort wurden die Flaschen in Fischkästen verpackt und mit Fischlastwagen, in denen natürlich auch Fisch war, in die Hauptstadt gefahren. In Oslo lagerten die Flaschen im Keller der Fischhandlung, die seit drei Generationen im Besitz der Fischerfamilie war, allerdings immer nur gerade so viel abgeworfen hatte, dass sie nicht pleitegegangen waren.

Als die Russen dem Fischer die Frage stellten, ob er den Schnaps nicht durch Heroin ersetzen wolle, überschlug er im Kopf die Zahlen, den Strafrahmen und die Wahrscheinlichkeit, geschnappt zu werden. Dann sagte er zu. Und damit hatte Daniel Hoffmann, als er seine Spitzbergen-Route wieder in Gang brachte, plötzlich Konkurrenz. Was ihm ganz und gar nicht gefiel.

An diesem Punkt kam ich ins Spiel.

Ich hatte zu der Zeit – wie ich ja bereits ausführlich geschildert habe – eine ziemlich missglückte kriminelle Laufbahn hinter mir. Hatte wegen Bankraubs gesessen, als Zuhältergehilfe von Pine für Hoffmann gearbeitet und war gefeuert worden. Aus diesem Grund befand ich mich damals auf der Suche nach einer Arbeit, die noch sinnentleerter war. Hoffmann hatte irgendwie aus angeblich sicherer Quelle erfahren, dass ich einen Schmuggler expediert hatte, der im Haldener Hafen mit nur noch halbwegs intaktem Schädel aufgefunden worden war, und nahm deshalb Kontakt zu mir auf. Ein wirklich professioneller Auftragsmord, lobte Hoffmann. Und da ich keinen Ruf zu verlieren hatte, stritt ich es nicht ab.

Mein erster Auftrag war ein Bergenser, der für Hoffmann auf der Straße gedealt hatte, bis er einen Teil der Ware für sich einbehalten hatte und zum Fischer gewechselt war. Der Mann war leicht zu finden gewesen. Bergenser reden lauter als andere Norweger, und sein Bergenser »r« hallte laut durch die nächtliche Stille unten am Bahnhof, wo er seine Waren verkaufte. Ich zeigte ihm meine Waffe, und plötzlich war es still. Es heißt, das Töten fällt einem schon beim zweiten Mal leichter, und ich denke, das stimmt. Ich nahm den Typ mit in den Containerhafen und schoss ihm zwei Kugeln in den Kopf, damit es so aussah wie in Halden. Die Polizei hatte für die Tat in Halden bereits jemanden auf dem Kieker und war deshalb bei ihren Ermittlungen vom ersten Tag an auf der falschen Fährte. Sie kamen nicht einmal in meine Nähe. Hoffmann sah das als Bestätigung meiner Qualifikation und gab mir einen neuen Auftrag.

Dieses Mal war es ein Typ, der Hoffmann angerufen

und gesagt hatte, er würde lieber für ihn als für den Fischer dealen. Er hatte ein Treffen an einem diskreten Ort vorgeschlagen, damit sie die Details besprechen konnten, ohne dass der Fischer davon erfuhr. Außerdem gab er vor, den Gestank der Fische nicht mehr ertragen zu können. Er hätte wirklich besser an seiner Deckgeschichte arbeiten sollen. Hoffmann nahm Kontakt zu mir auf und sagte, dass der Fischer diesen Typ vermutlich auf ihn angesetzt hatte, um ihn zu expedieren.

Am nächsten Abend wartete ich oben im Sankt-Hanshaugen-Park. Ein wirklich übersichtlicher Ort. Angeblich ein alter Opferplatz, an dem es spukt. Meine Mutter hat mir mal gesagt, die Buchdrucker hätten dort früher ihre Druckerschwärze gekocht. Ich weiß nur, dass auch der Abfall der Stadt dort verbrannt wurde. Auf jeden Fall sollte es an dem Abend richtig kalt werden, minus zwölf Grad, ich konnte mir also sicher sein, dass wir allein waren. Zehn vor neun kam tatsächlich ein Mann rauf zum Turm. Trotz der Kälte glitzerten Schweißtropfen auf seiner Stirn, als er oben war.

»Ziemlich früh«, sagte ich.

»Wer sind Sie?«, fragte er und wischte sich mit dem Schal den Schweiß ab. »Und wo ist Hoffmann?«

Wir griffen gleichzeitig zu unseren Pistolen, aber ich war schneller. Ich traf ihn in die Brust und dicht über dem Ellenbogen in den Arm. Die Pistole fiel ihm aus den Händen, und er kippte nach hinten. Lag auf dem Rücken im Schnee und sah blinzelnd zu mir hoch.

Ich richtete meine Waffe auf seine Brust. »Wie viel zahlt er?«

»Zw... zwanzigtausend.«

»Und das langt, um einen Mann zu töten?«

Er öffnete den Mund und schloss ihn wieder.

»Ich werde dich so oder so töten, du brauchst dir also gar keine kluge Antwort zu überlegen.«

»Wir haben vier Kinder und leben in einer Zweizimmerwohnung«, sagte er.

»Ich hoffe, er hat im Voraus bezahlt?«, erwiderte ich und drückte ab.

Er stöhnte, blieb aber liegen und blinzelte. Ich starrte auf die zwei Löcher auf seiner Brust und riss seinen Mantel auf.

Der Kerl trug ein Eisenhemd. Keine schusssichere Weste, sondern ein Scheißkettenhemd wie die Wikinger. Wie in den Zeichnungen in Snorris Königssaga, die ich als Junge so oft gelesen hatte, dass die Bücherei mir das Buch schließlich nicht mehr ausleihen wollte. Eisen. Kein Wunder, dass der Typ ins Schwitzen gekommen war.

»Was zum Henker ist das denn?«

»Meine Frau hat das gemacht«, sagte er. »Für die Aufführung.«

Ich fuhr mit den Fingern über die kleinen, ineinander verzahnten Eisenringe. Es mussten Tausende sein. Zwanzig? Vierzig?

»Ohne das lässt sie mich nicht gehen«, sagte er.

Ein Kettenhemd für das Theaterstück, das von der Ermordung eines heiligen Königs handelte.

Ich richtete den Lauf der Waffe auf seine Stirn.

»Schlag du den Hund, den kein Eisen beißen will.«

»Snorri«, flüsterte er. »Olav der Heilige während der Schlacht bei Stik ...«

»Richtig«, unterbrach ich ihn und drückte ab.

In seiner Geldbörse waren fünfzig Kronen, ein Bild von seiner Frau und seinen Kindern und ein Ausweis mit Namen und Adresse.

Der Bergenser und der Kerl im Kettenhemd. Dazu der neulich unten am Kai. Drei gute Gründe, mich vom Fischer fernzuhalten.

Am nächsten Morgen ging ich früh zu seinem Laden.

Die Fischhandlung Eilertsen & Sohn lag am Youngstorget, nur einen Steinwurf vom Polizeipräsidium in der Møllergata 19 entfernt. Früher, als der Fischer noch geschmuggelten Schnaps verkaufte, sollen die Polizisten seine besten Kunden gewesen sein.

Ich kämpfte mich vornübergebeugt durch den peitschenden, eiskalten Wind und überquerte die Straße. Die ersten Kunden waren bereits da, dabei hatte der Laden gerade erst aufgemacht.

Manchmal stand der Fischer selbst im Laden, an diesem Tag kümmerten sich aber ausschließlich Verkäuferinnen um die Wünsche der Kunden. Ein junger Mann verschwand durch die Schwingtür in den dahinterliegenden Raum, als er mich entdeckt hatte. Sein Blick sagte mir, dass er andere Aufgaben hatte, als Fische zu filetieren, zu wiegen und zu verpacken.

Kurz darauf betrat der Fischer den Laden. Er war von oben bis unten weiß gekleidet. Schürze, Mütze, ja sogar die Clogs. Irgendwie sah er aus wie ein Bademeister. Er kam um die Theke herum auf mich zu und wischte sich die Finger an der Schürze vor seinem runden Bauch ab. Dann nickte er in Richtung der Tür, die noch immer auf- und zuschwang. Jedes Mal, wenn sie sich öffnete, konnte ich Klein sehen. Diese schmächtige, fast verhungert wirkende Kreatur. Ich weiß nicht, ob er sich diesen Namen selbst gegeben hatte, weil er so klein und schwächlich wirkte, oder ob das wirklich sein Name war. Auf jeden Fall waren da immer wieder seine toten, rabenschwarzen Augen und die abgesägte Schrotflinte, die neben seinem Bein hing.

»Lass die Hände aus den Taschen«, sagte der Fischer mit breitem Weihnachtsmanngrinsen, »wenn du hier lebendig wieder rauskommen willst.«

Ich nickte.

»Wir haben in diesen Tagen viel zu tun. Alle wollen Kabeljau für die Festtage, also sag uns, was du willst, und hau wieder ab.«

»Ich kann Ihnen helfen, Ihre Konkurrenz loszuwerden.«

»Du?«

»Ja, ich.«

»Ich hätte dich nicht für einen Verräter gehalten, Junge.«

Dass er Junge sagte und mich nicht beim Namen nannte, konnte verschiedene Gründe haben. Vielleicht wusste er nicht, wie ich hieß, vielleicht wollte er mir aber auch keinen Respekt bezeugen oder mich darüber im Unklaren lassen, wie viel er wirklich über mich wusste. Ich tippte auf Letzteres.

»Können wir das im Hinterzimmer besprechen?«, fragte ich.

»Nee, das geht hier, hier hört uns niemand zu.«

»Ich habe Hoffmanns Sohn erschossen.«

Der Fischer kniff ein Auge zu und starrte mich mit dem anderen an. Lange.

»Frohe Weihnachten!«, riefen die Kunden, und eine Welle kalter Luft schwappte in den Dunst des Ladens, wenn sie die Tür öffneten.

»Gehen wir ins Hinterzimmer«, sagte der Fischer.

Drei Tote. Man muss schon ein verdammt abgebrühter Geschäftsmann sein, um nicht wütend auf denjenigen zu sein, der drei deiner Leute liquidiert hat. Ich konnte nur hoffen, dass mein Angebot gut genug und der Fischer wirklich so abgebrüht war, wie ich es glaubte. Verdammt, natürlich wusste er, wie ich hieß.

Ich saß an einem verschrammten Holztisch. Neben mir auf dem Boden stapelten sich Styroporkisten voller Eis, gefrorenem Fisch und – wenn die Logistik wirklich so war, wie Hoffmann es behauptete – Heroin. Die Temperatur betrug höchstens fünf oder sechs Grad. Klein setzte sich nicht, während ich meine Geschichte vorbrachte. Er schien die hässliche Schrotflinte in seiner Hand vergessen zu haben, aber ihr Lauf zielte die ganze Zeit auf mich. Ich erzählte alles genau so, wie es sich zugetragen hatte, ließ nichts aus, fügte aber auch kein unnötiges Detail hinzu.

Als ich fertig war, starrte der Fischer mich mit seinem Zyklopenauge an.

»Du hast statt seiner Frau einfach seinen Sohn erschossen?«

»Ich wusste ja nicht, dass es sein Sohn ist.«

»Was meinst du, Klein?«

Klein zuckte mit den Schultern. »In der Zeitung steht was von einem Typ, der gestern in Vinderen erschossen wurde.«

»Habe ich gesehen. Vielleicht haben Hoffmann und sein Killer das nur ausgenutzt, um eine Geschichte zusammenzuschustern, mit der sie uns täuschen können.«

»Rufen Sie die Polizei an, und fragen Sie nach dem Namen des Toten«, schlug ich vor.

»Machen wir«, sagte der Fischer. »Aber erst musst du mir sagen, warum du Hoffmanns Frau verschont hast und jetzt versteckst.«

»Das ist meine Sache«, sagte ich.

»Wenn du hier wirklich wieder lebend rauskommen willst, sagst du uns das, und zwar ein bisschen plötzlich!«

»Hoffmann hat sie geschlagen«, sagte ich.

»Welcher von beiden?«

»Beide«, log ich.

»Ja und? Wenn jemand von einem Stärkeren Prügel bezieht, heißt das doch nicht automatisch, dass er es nicht verdient hat.«

69

»Und erst recht nicht bei so einer Hure«, sagte Klein.

»Ui, ui«, lachte der Fischer. »Guck dir mal seinen Blick an, Klein, der Junge würde dich am liebsten umbringen! Wenn der mal nicht verliebt ist!«

»Ist schon in Ordnung«, sagte Klein. »Ich würd ihm auch am liebsten den Hals umdrehen. Immerhin hat er Mao ausgeschaltet.«

Ich hatte keine Ahnung, wer von den dreien Mao gewesen war. Auf dem Führerschein des Typs oben am Sankt Hanshaugen hatte Mauritz gestanden, aber wer weiß, vielleicht war er ja trotzdem Mao gewesen.

»Ihr Fisch wartet«, sagte ich. »Also, wie geht's jetzt weiter?«

Der Fischer zog an den Spitzen seines Walrossbarts. Ich fragte mich, ob er den Fischgestank jemals wieder loswurde. Dann stand er auf.

»What loneliness is more lonely than distrust? Weißt du, was das heißt, Junge?«

Ich schüttelte den Kopf.

»Stimmt, der Bergenser, der zu uns übergelaufen ist, hat ja gesagt, du hättest nicht genug Grips, um als Dealer für Hoffmann zu arbeiten. Dass du nicht mal zwei und zwei zusammenrechnen könntest.«

Klein lachte. Ich antwortete nicht.

»Der Satz stammt von T. S. Eliot, Junge«, seufzte der Fischer. »Die Einsamkeit des Misstrauischen. Glaub mir, diese Einsamkeit fühlen alle Anführer irgendwann. Und sicher auch viele Ehemänner im Laufe ihres Lebens. Väter eher weniger. Hoffmann durfte alle drei Varianten kennenlernen. Von seinem Expedienten, seiner Frau und seinem Sohn. Er kann einem fast leidtun.« Er ging zur Schwingtür und sah durch das Bullauge ins Geschäft. »Also, was brauchst du?«

»Zwei deiner besten Leute.«

»Das hört sich ja fast so an, als verfügten wir hier über eine ganze Armee.«

»Hoffmann wird vorbereitet sein.«

»Ach? Ist er nicht der Jäger und du die Beute?«

»Er kennt mich.«

Der Fischer schien sich den Bart von den Lippen reißen zu wollen. »Du kriegst Klein und den Dänen.«

»Wie wäre es mit dem Dänen und …?«

»Klein und der Däne.«

Ich nickte.

Der Fischer führte mich zurück in den Laden. Ich ging zur Tür, wischte das beschlagene Fenster darin ab und sah nach draußen.

In der Opern-Passage stand ein Mann, der vorhin dort noch nicht gestanden hatte. Klar, es gab sicher Hunderte von Gründen, warum ein Mann im Schneegestöber wartete.

»Hast du eine Telefonnummer, unter der …«

»Nein«, sagte ich. »Ich gebe Bescheid, wann und wo ich sie brauche. Gibt es hier eine Hintertür?«

Auf dem Rückweg dachte ich, dass die Ausbeute eigentlich ziemlich gut war. Ich hatte zwei Männer bekommen und war noch am Leben. Außerdem hatte ich etwas Neues gelernt, T. S. Eliot hatte das über die

Einsamkeit geschrieben. Dabei hatte ich immer gedacht, es stammte von dieser Frau. Wie hatte sie sich noch mal genannt? George Eliot? »Hurt, he will never be hurt – he's made to hurt other people.« Nicht dass ich an Dichter glaube. Nicht mehr als an Gespenster jedenfalls.

KAPITEL 10

Corina machte uns aus den Sachen, die ich eingekauft hatte, ein einfaches Essen.

»Lecker«, sagte ich, als ich fertig war, wischte mir den Mund ab und goss uns Wasser nach.

»Wie bist du da reingeraten?«, fragte sie.

»Wie reingeraten?«

»Warum ... machst du das? Warum machst du nicht das Gleiche wie dein Vater? Nur ein Beispiel. Ich gehe davon aus, dass er kein ...«

»Er ist tot«, sagte ich und leerte mein Glas in einem Zug. Das Essen war ziemlich salzig gewesen.

»Das tut mir leid, Olav.«

»Muss es nicht, es tut auch sonst niemandem leid.«

Corina lachte. »Du bist witzig.«

Das hatte noch nie jemand über mich gesagt.

»Legst du eine Platte auf?«

Ich suchte Jim Reeves raus.

»Du hast einen altmodischen Geschmack«, sagte sie.

»Ich habe nicht so viele Platten.«

»Und tanzen tust du auch nicht?«

Ich schüttelte den Kopf.

»Und im Kühlschrank ist auch kein Bier, oder?«

»Willst du gern ein Bier?«

Sie sah mich grinsend an, als hätte ich schon wieder etwas Witziges gesagt.

»Setzen wir uns aufs Sofa, Olav?«

Sie räumte den Tisch ab, und ich kochte Kaffee. Das alles wirkte so vertraut, so heimelig. Schließlich setzten wir uns nebeneinander auf die Couch, während Jim Reeves sang, dass er dich liebt, weil du ihn verstehst. Es war im Laufe des Tages etwas wärmer geworden, draußen vor dem Fenster schwebten jetzt dicke Schneeflocken langsam zu Boden.

Ich sah sie an. Ein Teil von mir war schrecklich angespannt und hätte viel lieber auf einem Stuhl gesessen. Der andere wollte nichts lieber, als den Arm um Corinas schmale Taille legen und sie an sich ziehen. Ihre Lippen küssen, die glänzenden Haare streicheln. Wollte sie fest an sich drücken, mit Kraft, um zu spüren, wie die Luft aus ihren Lungen entwich, um ihren Atem zu hören und zu sehen, wie ihre Brust und ihr Bauch sich ihm entgegenstreckten.

Plötzlich hatte ich Zuckerwatte im Kopf.

In diesem Moment stieß die Nadel gegen die Mitte der Platte, wurde angehoben und zurückgeführt, und das Vinyl hörte langsam auf sich zu drehen.

Ich schluckte schwer. Wollte die Hand heben. Sie dorthin legen, wo Hals und Schultern ineinander übergingen. Aber meine Finger zitterten. Nicht nur die Finger, ich zitterte am ganzen Körper, als hätte ich Grippe. Idiotisch.

»Du, Olav ...« Corina neigte sich zu mir hin, und ein intensiver Duft stieg mir in die Nase. Ich wusste nicht, ob das ihr Parfüm war oder ihr ganz eigener Geruch. Ich musste den Mund öffnen, um Luft zu bekommen.

Sie nahm das Buch vom Couchtisch. »Hättest du nicht Lust, mir etwas vorzulesen? Etwas über die Liebe ...?«

»Das würde ich gerne tun«, sagte ich.

»Dann tu es doch ...«, gurrte sie, zog die Füße unter sich aufs Sofa und legte eine Hand auf meinen Arm. »Ich *liebe* die Liebe.«

»Aber es geht nicht, ich kann nicht.«

»Natürlich kannst du das!«, sagte sie lachend und schob mir das Buch aufgeschlagen auf den Schoß. »Sei nicht so schüchtern, Olav, lies! Außer mir ist hier doch ...«

»Ich habe eine Lese- und Rechtschreibschwäche.«

Meine schnell ausgespuckten Worte schnitten ihren Satz ab, und sie starrte mich an, als hätte ich ihr eine Ohrfeige verpasst. Verdammt, ich zuckte zusammen.

»Entschuldige, Olav, aber ... du hast doch gesagt ... ich dachte ...« Sie verstummte, und es wurde still. Ich wünschte mir, die Platte würde noch laufen, und schloss die Augen.

»Ich lese ja auch«, sagte ich.

»Du liest?«

»Ja.«

»Aber wie kannst du lesen, wenn du die Wörter nicht ... nicht richtig siehst?«

»Ich sehe sie ja … nur hin und wieder eben falsch.
Dann muss ich die Stellen noch einmal lesen.« Ich öffnete die Augen. Ihre Hand lag noch immer auf meinem Arm.

»Aber wie … ich meine, woher weißt du, dass du
falsch gelesen hast?«

»In der Regel, weil die Buchstaben dann keine
Worte bilden, die Sinn machen. Manchmal sehe ich allerdings auch ganz andere Worte und merke es oft erst
viel später. Dann ist die Geschichte in meinem Kopf
eine ganz andere als die im Buch. Auf die Weise kriege
ich dann zwei Geschichten für den Preis von einer.«

Sie lachte. Laut und perlend, und ihre Augen glitzerten im Halbdunkel. Ich musste mitlachen. Es war
nicht das erste Mal, dass ich jemandem von meiner
Leseschwäche erzählte, ganz sicher aber das erste Mal,
dass jemand nachhakte. Und das erste Mal, dass ich
es jemandem zu erklären versuchte, der weder meine
Mutter noch mein Lehrer war. Ihre Hand strich über
meinen Arm nach unten. Beinahe unmerklich. Ich
hatte damit gerechnet, dass sie mich loslassen würde,
doch stattdessen schob sich ihre Hand in meine und
drückte sie. »Du bist wirklich witzig, Olav. Und nett.«

Der Schnee blieb auf dem Fensterrahmen liegen,
die Kristalle verhakten sich ineinander wie die eisernen
Ringe eines Kettenhemdes.

»Dann erzähl es mir«, sagte sie. »Erzähl mir von der
Liebe in deinem Buch.«

»Tja«, sagte ich und warf einen Blick auf das Buch
auf meinem Schoß. Es war auf der Seite aufgeschlagen,

auf der Jean Valjean sich der verlorenen, zum Tode verurteilten Hure annimmt. Ich dachte nach. Und erzählte ihr stattdessen von Cosette und Marius. Und von Eponine, der jungen, zur Diebin ausgebildeten Frau, die sich hoffnungslos in Marius verliebt, ehe sie ihr Leben der Liebe opfert. Der Liebe zweier anderer Menschen. Dieses Mal erzählte ich, ohne irgendetwas auszulassen.

»Oh, wie phantastisch!«, rief Corina überschwänglich, als ich fertig war.

»Ja«, sagte ich, »Eponine ist ...«

»... dass Cosette und Marius sich am Ende kriegen.« Ich nickte.

Corina drückte meine Hand. Hatte sie die ganze Zeit über gehalten. »Erzähl mir vom Fischer.«

Ich zuckte mit den Schultern. »Er ist ein Geschäftsmann.«

»Daniel hat gesagt, er ist ein Mörder.«

»Das auch.«

»Und was passiert, wenn Daniel tot ist?«

»Du hast nichts zu befürchten, der Fischer wird dir nichts tun.«

»Ich meine, übernimmt der Fischer dann den ganzen Markt?«

»Ich rechne damit, er hat dann ja keine anderen Konkurrenten mehr. Außer du hast vor ...« Ich zwinkerte ihr zu.

Sie lachte laut und verpasste mir einen Stoß. Wer hätte gedacht, dass ein Komiker in mir steckte?

»Warum hauen wir nicht einfach ab?«, fragte sie.

»Du und ich? Wir würden gut miteinander klarkommen. Ich kann Essen kochen und du …«

Der Rest des Satzes blieb wie eine nicht fertig gebaute Brücke in der Luft stehen.

»Ich würde gern mit dir abhauen, Corina, aber ich besitze nicht eine Krone.«

»Oh? Dabei hat Daniel immer gesagt, er bezahle seine Leute gut. Dass man sich Loyalität erkaufen müsse.«

»Ich habe das Geld ausgegeben.«

»Für was?« Sie nickte und ließ ihren Blick durch den Raum schweifen. Vermutlich meinte sie die Wohnung und fragte sich, was darin denn Geld gekostet haben könnte.

Ich zuckte mit den Schultern. »Es ging um eine Witwe mit vier Kindern. Ich habe sie zur Witwe gemacht, deshalb habe ich … nun, in einem schwachen Augenblick habe ich ihr das, was ihr Mann für seinen Auftrag bekommen hätte, in einen Umschlag gesteckt. Dummerweise war das alles, was ich hatte. Ich hätte nicht gedacht, dass der Fischer seine Leute so gut bezahlt.«

Sie sah mich verständnislos an. Keiner von Darwins sechs universellen Gesichtsausdrücken, glaube ich, ich verstand aber trotzdem, was sie mir damit sagen wollte. »Du … du hast dein ganzes Geld der Witwe eines Mannes gegeben, der jemanden *umbringen* sollte?«

Eigentlich hatte ich schon damals das Gefühl gehabt, dass es ziemlich dumm war, obwohl ich dafür ja auch etwas zurückbekommen hatte. Trotzdem, als

Corina es jetzt aussprach, hörte es sich geradezu idiotisch an.

»Wen sollte er umbringen?«

»Weiß ich nicht mehr«, log ich.

Sie sah mich an. »Olav, weißt du was?«

Nein.

Sie legte mir die Hand auf die Wange. »Du bist wirklich etwas ganz, ganz Besonderes.«

Corinas Blick glitt über mein Gesicht und nahm es Stück für Stück auf, als würde er es verzehren. Ich weiß, in diesen Augenblicken sollte man etwas erkennen, die Gedanken des anderen lesen oder spüren. Mag sein. Aber ich habe eine Leseschwäche, vielleicht klappt das bei mir einfach deshalb nicht. Meine Mutter hat immer gesagt, ich solle nicht so pessimistisch sein. Vielleicht hatte sie ja recht. Auf jeden Fall wurde ich positiv überrascht, als Corina Hoffmann sich vorbeugte und mich küsste.

Wir liebten uns. Es hat nichts mit meiner Schüchternheit zu tun, dass ich diesen romantischen und etwas scheuen Ausdruck wähle, statt Klartext zu reden. Für mich ist »sich lieben« einfach die treffendste Bezeichnung. Ihr Mund war dicht an meinem Ohr, sie atmete keuchend. Ich hielt sie unendlich vorsichtig fest, wie die getrockneten Blumen, die ich manchmal in den ausgeliehenen Büchern finde. Sie sind so zerbrechlich, dass sie sofort zerbröseln, wenn ich sie zu fest zwischen die Finger nehme. Ich hatte Angst, dass es auch ihr so gehen könnte. Immer wieder musste ich mich auf die

Arme stützen und mich vergewissern, dass sie wirklich noch da war und alles kein Traum war. Ich streichelte sie, leicht und sanft, um sie nicht abzunutzen, wartete, bevor ich in sie eindrang. Sie sah mich überrascht an, konnte ja nicht wissen, dass ich auf den richtigen Augenblick wartete. Und dann kam er, der Moment des Verschmelzens, der Augenblick, der – wie man meinen könnte – für einen Exzuhälter trivial sein sollte, der aber derart überwältigend war, dass mir die Luft wegblieb. Sie stöhnte leise und langgezogen, während ich mich langsam und vorsichtig in sie schob und ihr dabei zärtliche, idiotische Worte ins Ohr flüsterte. Natürlich spürte ich ihre Ungeduld, ich wollte aber, dass es lange dauerte und etwas ganz Besonderes wurde. Ich nahm sie in Zeitlupe und mit mühsam erkämpfter Beherrschung. Ihre Hüften begannen rasch und schnell unter mir zu kreisen, und ihre weiße Haut glänzte im Dunkeln wie der Mond. Ebenso weich, ebenso unmöglich.

»Komm Liebster«, raunte sie mir leise keuchend ins Ohr. »Komm, Olav.«

Ich rauchte eine Zigarette. Sie schlief. Es hatte zu schneien aufgehört, und die traurige Melodie des Windes war verstummt. Nur Corinas ruhiger Atem erfüllte den Raum. Ich lauschte. Nichts.

Es war genauso gewesen, wie ich es mir erträumt und niemals für möglich gehalten hatte. Ich war so müde, dass ich schlafen musste, und so glücklich, dass ich genau das nicht wollte. Denn wenn ich einschlief, würde diese Welt, eine Welt, die ich bis zu diesem Moment nicht einen Augenblick lang geliebt hatte, für eine Weile aufhören zu existieren. Wie Humes sagt, ist die Tatsache, dass ich bis jetzt jeden Morgen im selben Körper aufgewacht bin, in derselben Welt, in der geschehen ist, was geschehen ist, keine Garantie dafür, dass es auch am nächsten Morgen noch so ist. Zum ersten Mal in meinem Leben fühlte es sich riskant an, die Augen zu schließen.

Also hörte ich zu. Wachte über das, was ich hatte. Es war perfekt, keine fremden Laute, nichts, das nicht da sein sollte. Und doch hörte ich weiter hin.

KAPITEL 11

Meine Mutter war schwach und musste deshalb mehr ertragen, als die Stärksten zu ertragen hatten.

Es gelang ihr nicht, zu meinem Vater, diesem ausgemachten Arsch, auch nur ein einziges Mal nein zu sagen. Das hatte zur Folge, dass sie mehr Prügel einstecken musste als ein Sittlichkeitsverbrecher im Knast. Am liebsten würgte er sie, ich höre noch heute den keuchenden Atem meiner Mutter, wenn mein Vater hinter der geschlossenen Schlafzimmertür von ihr abließ. Sie klang wie eine Kuh, wenn sie endlich wieder Luft holen konnte. Bis er von Neuem begann, sie umzubringen. Sie war zu schwach, um nein zum Alkohol zu sagen, und mit dem Gift, das sie in sich hineinkippte, hätte man ganze Elefantenherden töten können. Und mir gegenüber war sie so schwach, dass ich alles bekam, was ich verlangte, auch wenn sie es selbst mindestens ebenso nötig gehabt hätte.

Die Leute sagten immer, ich wäre meiner Mutter so ähnlich. Erst als ich zum letzten Mal in die Augen meines Vaters blickte, erkannte ich, dass ich auch ihn in mir trug. Wie einen Virus, eine Krankheit im Blut.

In der Regel tauchte er nur dann auf, wenn er Geld brauchte, und das bekam er in den meisten Fällen auch. Er wusste aber auch, dass er ihr – um den Angstpegel zu halten – klarmachen musste, was passieren würde, sollte sie einmal *nicht* bezahlen. Meine Mutter erklärte mir ihre Veilchen und dicken Lippen anschließend immer mit Treppen, Türen und glatten Badezimmerböden. Aber das stimmte wohl erst später, als der Alkohol ihr Leben in den Griff bekommen hatte – wenigstens das eine oder andere Mal.

Mein Vater war der Meinung, all die Lernerei mache mich nur zum Idioten. Ich habe den Verdacht, dass er die gleichen Probleme mit dem Lesen und Schreiben hatte wie ich, nur hatte er, anders als ich, aufgegeben. Während er die Schule bei der erstbesten Gelegenheit verlassen und seitdem nicht einmal mehr die Zeitung gelesen hatte, gefiel es mir dort merkwürdigerweise, sah man einmal vom Matheunterricht ab. Ich trug nicht gerade viel zum Unterricht bei, und die meisten hielten mich deshalb vermutlich für dumm. Aber der Norwegischlehrer, der meine Aufsätze korrigierte, sah hinter all den Schreibfehlern etwas Besonderes, das er in den Arbeiten der anderen nicht finden konnte. Für mich war das Grund genug, in der Schule zu bleiben, für meinen Vater nicht. Er fragte nur, was dieser Quatsch solle und ob ich mich für etwas Besseres hielte als ihn und den Rest der Familie. Sie seien mit ihrer ehrlichen Arbeit immer gut zurechtgekommen und hätten sich nicht hinter Fremdwörtern und abenteuerlichen Träumen versteckt. Mit sechzehn habe ich ihn dann irgendwann gefragt, warum nicht auch er es mal mit ehrlicher Arbeit versuche. Er schlug mich grün und blau, nannte es Erziehung und meinte, das sei für diesen Tag Arbeit genug.

Als ich neunzehn war, tauchte er eines Abends wieder bei uns zu Hause auf. Er war am selben Tag aus der Strafanstalt Botsen entlassen worden, wo er ein Jahr eingesessen hatte, weil er jemanden zu Tode geprügelt hatte. Es gab keine Zeugen für die Tat, und so war es seinem Anwalt gelungen, die Kopfverletzungen des Opfers damit zu erklären, dass es beim Versuch zurückzuschlagen auf dem Eis ausgerutscht sei.

Vater sagte, ich sei groß geworden, und schlug mir kameradschaftlich auf den Rücken. Dann meinte er, Mama habe ihm erzählt, dass ich im letzten Jahr im Güterbahnhof gearbeitet habe. Für ihn war das wohl so etwas wie ein Beweis, dass ich endlich zur Vernunft gekommen war.

Ich sagte nichts, erklärte ihm nicht, dass ich neben dem Gymnasium arbeitete, um Geld für eine eigene Wohnung zu haben, wenn ich im nächsten Jahr nach dem Militärdienst auf die Uni ging.

Und schließlich meinte er, es sei gut, dass ich nun auch arbeiten ginge, um meinen Beitrag zu leisten.

Beitrag wozu?, fragte ich ihn.

Wozu? Er sei schließlich mein Vater, ein armer Mann, der unschuldig im Gefängnis gesessen habe und jetzt die volle Unterstützung seiner Familie brauche, um wieder auf die Füße zu kommen.

Ich lehnte ab.

Er starrte mich ungläubig an und war kurz davor, mich zu schlagen. Er maß mich mit den Augen. Der Junge war wirklich groß geworden.

Dann lachte er kurz auf. Sagte, dass er meine Mutter umbringen würde, wenn ich nicht ein paar lausige Tausender rüberwachsen ließe. Und dass es ihm auch diesmal gelingen würde, das Ganze wie einen Unfall aussehen zu lassen. Was ich dazu sagen würde, wollte er schließlich wissen.

Ich antwortete nicht.

Er gab mir sechzig Sekunden.

Ich erwiderte, das Geld sei auf der Bank, er müsse sich bis zum nächsten Morgen gedulden.

Er neigte den Kopf zur Seite, um besser erkennen zu können, ob ich log.

Ich sagte ihm, ich würde schon nicht abhauen, und er könne auch gerne mein Bett haben, ich würde dann bei Mama schlafen.

»So, so, hast du meinen Platz übernommen«, sagte er grinsend. »Weißt du nicht, dass das verboten ist? Oder steht davon nichts in deinen Büchern?«

Abends teilten Mutter und Vater sich den Rest des Schnapses, bevor sie in ihrem Zimmer verschwanden. Ich legte mich aufs Sofa und steckte mir Klopapier in die Ohren. Aber das reichte nicht, ich hörte wieder, wie sie nach Luft schnappte. Irgendwann knallte die Tür, und er verschwand in meinem Zimmer.

Ich wartete bis zwei Uhr nachts, dann stand ich auf, ging ins Bad und holte die Klobürste. Anschließend lief ich in den Keller und schloss unseren Verschlag auf. Mit dreizehn hatte ich Ski zu Weihnachten bekommen. Von meiner Mutter. Weiß Gott, was sie dafür bezahlt hatte. Sie waren mir längst zu klein geworden. Ich entfernte den Teller von einem der Skistöcke und ging wieder nach oben. Schlich mich in mein Zimmer. Mein Vater lag schnarchend auf dem Rücken. Einen Fuß auf jeder Seite des schmalen Bettes stellte ich mich auf den Rahmen und platzierte die Spitze des Skistocks auf seinem Bauch. Das Risiko, sie auf seine Brust zu setzen, wo die Spitze am Brustbein oder einer Rippe hängenbleiben konnte, wollte ich nicht eingehen. Ich schob eine Hand in die Schlaufe, legte die andere oben auf den Stock und achtete darauf, dass er senkrecht stand, damit der Bambus nicht schräg belastet wurde und splitterte. Dann wartete ich. Warum, weiß ich nicht. Angst hatte ich keine. In diesem Moment nicht. Der Atem meines Vaters wurde unruhiger. Als er Anstalten machte, sich umzudrehen, sprang ich hoch und beugte die Knie wie ein Stabhochspringer. Kam mit meinem ganzen Körpergewicht wieder runter. Die Haut bot einen gewissen Widerstand, doch als sie durchstochen war, glitt der Stab glatt hindurch. Der Bambusschaft riss Fetzen des T-Shirts mit in seinen Bauch, und die Spitze bohrte sich tief in die Matratze.

Seine Augen waren schwarz vor Schock, als er mich von unten anstarrte. Ich war schnell auf seinen Brustkorb gesprungen und hielt seine Arme mit den Knien fest. Er öffnete den Mund, um zu schreien. Ich zielte und stieß ihm die Klobürste in den Rachen. Er zappelte gurgelnd herum, konnte sich aber nicht wirklich bewegen. Ja, ich war groß geworden.

Ich saß da, den Bambusstab spürte ich im Rücken. Unter mir wand sich der Körper meines Vaters, und ich dachte, dass ich ihn jetzt ritt. Wie einen alten Gaul.

Ich weiß nicht, wie lange ich dort saß, bis das Zucken schwächer und sein Körper so schlaff wurde, dass ich es wagte, die Klobürste herauszuziehen.

»Verdammter Idiot«, stöhnte er mit geschlossenen Augen. »Man schneidet einem die Kehle durch, nicht ...«

»Das wäre viel zu schnell gegangen«, sagte ich.

Er lachte, hustete. Blutige Blasen quollen ihm aus dem Mundwinkel.

»Schau einer an, *das* ist mein Junge«, war das Letzte, was er sagte. Den letzten Stich hatte dieser Arsch sich also doch noch gesichert, denn in diesem Moment spürte ich mit ganzem Herzen, dass er recht hatte. Ich war sein Sohn. Und jetzt wusste ich auch, warum ich mir so viel Zeit gelassen hatte, bevor ich ihm den Stock in den Bauch gerammt hatte. Ich wollte das selige Gefühl auskosten und in die Länge ziehen, ganz allein über Leben und Tod zu bestimmen.

Das war der Virus in meinem Blut. Sein Virus.

Ich trug die Leiche in den Keller und wickelte sie in die alte, vergammelte Zeltplane. Auch dieses Zelt hatte meine Mutter irgendwann gekauft. Vermutlich weil sie sich vorgestellt hatte, dass die kleine Familie damit Campingausflüge machte, an einen See, wo die

Sonne nie unterging und sie frisch gefangene Forellen über dem Lagerfeuer grillte.

Hoffentlich kam sie wenigstens besoffen dorthin.

Erst nach über einer Woche tauchte die Polizei bei uns auf und fragte, ob wir meinen Vater seit seiner Entlassung zu Gesicht bekommen hätten. Das verneinten wir. Sie würden später noch ein Protokoll schreiben, sagten sie, bedankten sich und verschwanden wieder. Motivation sah anders aus. Die Matratze und das Bettzeug hatte ich zu diesem Zeitpunkt längst zur Müllverbrennungsanlage gekarrt. Und in der Nacht war ich bis weit ins verlassene Nittedal gefahren, zu einem See, wo die Sonne nie unterging, ich aber sicher eine ganze Weile nicht mehr fischen würde.

Ich saß am Ufer, blickte über die spiegelglatte Wasserfläche und dachte, dass genau das von uns übrigblieb. Ringe auf dem Wasser, die nach einer Weile verschwanden. Als hätte es sie nie gegeben. Als hätte es uns nie gegeben.

Das war meine erste Expedierung.

Als ein paar Wochen später der Brief von der Universität kam: »Es freut uns, Ihnen mitteilen zu können, dass Ihr Antrag auf einen Studienplatz angenommen wurde ...«, mit Datum und Uhrzeit der Immatrikulation, zerriss ich ihn ganz langsam.

KAPITEL 12

Ich wachte von einem Kuss auf.

Bevor ich allerdings erkannte, dass es ein Kuss war, durchlebte ich einen Augenblick reinster Panik.

Dann kamen die Erinnerungen, und aus der Panik wurde etwas Warmes, Weiches, das ich in Ermangelung eines anderen Wortes einfach als Glück bezeichnen muss.

Sie hatte die Wange auf meine Brust gelegt, und ich sah auf sie herab.

»Olav?«

»Ja?«

»Können wir nicht einfach für alle Ewigkeit hierbleiben?«

Mir fiel wirklich nichts ein, das ich mir mehr wünschte. Ich zog sie an mich. Hielt sie fest. Zählte die Sekunden, die wir zusammen gehabt hatten, die keiner uns nehmen konnte, Sekunden, die wir hier und jetzt genossen. Aber ich kann, wie gesagt, nicht sonderlich gut zählen. Ich drückte die Lippen auf ihr Haar.

»Hier würde er uns finden, Corina.«

»Dann lass uns weit, weit weggehen.«

»Erst müssen wir ihn erledigen. Oder willst du dich für den Rest deines Lebens immer wieder umdrehen müssen?«

Sie strich mir mit dem Zeigefinger über Nasenrücken und Kinn, als verliefe dort eine Naht. »Du hast recht. Aber danach gehen wir dann doch weg?«

»Ja.«

»Versprichst du mir das?«

»Ja.«

»Wohin?«

»Wohin du willst.«

Sie fuhr mir mit dem Finger weiter über den Hals, den Adamsapfel und zwischen den Schlüsselbeinen hindurch. »Ich will nach Paris.«

»Dann gehen wir nach Paris. Warum gerade dorthin?«

»Weil da Cosette und Marius zusammen waren.«

Ich lachte, stellte die Füße auf den Boden und küsste sie auf die Stirn.

»Steh nicht auf«, sagte sie.

Also stand ich nicht auf.

Um zehn Uhr las ich die Zeitung und trank am Küchentisch eine Tasse Kaffee. Corina schlief.

Der Kälterekord lag noch immer in Reichweite. Durch das milde Wetter am Vortag waren die Straßen allerdings wie Schmierseife. Auf dem Trondheimsveien war ein Auto auf die Gegenfahrbahn geraten und seitlich unter einen LKW-Anhänger gerutscht. Eine dreiköpfige Familie, die über Weihnachten nach Hause in den Norden fahren wollte. Und die Polizei hatte noch immer keine Spur von dem Mörder in Vinderen.

Um elf Uhr stand ich in einem Kaufhaus. Der Laden war voller Menschen auf der Suche nach Weihnachtsgeschenken. Ich stand am Fenster und tat so, als betrachtete ich ein Essservice, verfolgte dabei aber, was auf der anderen Straßenseite, wo Hoffmanns Büroräume lagen, vor sich ging. Draußen warteten zwei Männer. Pine und ein Typ, den ich noch nie gesehen hatte. Der Neue stampfte mit den Füßen auf. Der Rauch seiner Zigarette zog nach unten, Pine genau in die Fresse, der irgendwas sagte, wofür der andere sich aber nicht zu interessieren schien. Der Neue trug eine dicke Bärenfellmütze und einen Mantel, hatte aber trotzdem die Schultern bis zu den Ohren hochgezogen, während Pine entspannt in seiner kackbraunen Jacke und dem bunten Hut dastand. Zuhälter sind es gewohnt, draußen zu warten. Der Neue zog sich die Mütze tiefer ins Gesicht. Was vermutlich eher an dem Scheiß lag, den Pine absonderte, als an der Kälte. Pine hatte die Zigarette hinter dem Ohr weggenommen und zeigte sie dem Neuen. Aller Wahrscheinlichkeit nach erzählte er jetzt wieder, was es mit der Zigarette hinter dem Ohr auf sich hatte, seit er mit dem Rauchen aufgehört hatte. Er wollte dem Tabak auf diese Weise zeigen, wer wirklich das Sagen hatte. Die alte Geschichte. In Wahrheit trug er sie bestimmt nur dort, um gefragt zu werden, was die Zigarette hinter seinem Ohr bedeutete. So konnte er den Leuten das Ohr abkauen.

Der Neue trug so viele Schichten von Klamotten, dass ich nicht erkennen konnte, ob er bewaffnet war, aber Pines Jacke hatte Schlagseite. Ein verdammt dickes Portemonnaie oder ein Schießeisen. Auf jeden Fall etwas, das schwerer war als das abartige Messer, mit dem er immer rumlief. Ein Jagdmesser mit Zacken auf der Rückseite der Klinge. Bestimmt hatte er Maria mit diesem Messer davon überzeugt, für ihn zu arbeiten. Vielleicht hatte er sie gewarnt, was das Messer mit ihr und ihrem Lover tun würde, wenn sie das Geld, das sie ihm schuldeten, nicht durch Blasen und Ficken wieder eintrieb. Ich stellte mir vor, wie Marias weit aufgerissene, erschreckte Augen auf seine Lippen starrten und verzweifelt abzulesen versuchten, was Pine von ihr wollte, während sein Mundwerk unablässig mahlte. Wie jetzt. Aber der Neue ignorierte den Zuhälter und ließ seinen Blick finster über die Straße schweifen. Ruhig und konzentriert. Wahrscheinlich angeheuert. Aus dem Ausland. Auf jeden Fall sah er aus wie ein Profi.

Ich verließ das Kaufhaus durch den Eingang in der Parallelstraße. Auf der Torggata ging ich in eine Telefonzelle. Hielt die Zeitungsseite hoch, die ich herausgerissen hatte, und wählte die Nummer. Zeichnete ein Herz auf die beschlagene Scheibe, während ich darauf wartete, dass sich jemand meldete.

»Gemeindeverwaltung Ris.«

»Entschuldigen Sie bitte, ich möchte einen Kranz für die Hoffmann-Beerdigung bringen. Die ist übermorgen.«

»Den können Sie beim Beerdigungsinstitut abgeben ...«

»Schon, aber wissen Sie, ich wohne außerhalb der Stadt. Morgen Abend nach Ladenschluss bin ich allerdings in der Gegend. Es würde mir deshalb sehr entgegenkommen, wenn ich den Kranz direkt in die Kirche bringen könnte.«

»Wir haben hier keine Angestellten, die ...«

»Aber der Sarg ist doch bis morgen Abend bei Ihnen im Keller aufgebahrt, oder?«

»Normalerweise ja.«

Ich wartete, aber mehr kam nicht.

»Könnten Sie das für mich überprüfen?«

Ein fast lautloses Seufzen. »Einen Augenblick, bitte.« Papierrascheln. »Ja, das ist richtig.«

»Dann komme ich morgen Abend zur Kirche. Die Familie will ihn bestimmt ein letztes Mal sehen, da kann ich ihnen gleich mein Beileid aussprechen. Es ist doch sicher ein Zeitpunkt notiert, wann ihnen Zugang zum Keller gewährt wird. Ich könnte die Familie natürlich auch direkt anrufen, will sie damit jetzt aber nicht belästigen ...«

Ich wartete und horchte auf das Zögern am anderen Ende der Leitung. Räusperte mich: »... in dieser für sie so tragischen Vorweihnachtszeit.«

»Ja, hier steht's. Sie haben darum gebeten, morgen Abend zwischen 8 und 9 Uhr kommen zu dürfen.«

»Danke«, sagte ich. »Aber das schaffe ich vermutlich nicht. Schade. Sagen Sie der Familie lieber gar nicht erst, dass ich erwogen habe, persönlich zu kommen.

Ich werde den Kranz dann auf anderem Weg schicken.«

»Wie Sie wollen.«

»Herzlichen Dank für Ihre Hilfe.«

Ich ging zum Youngstorget. In der Opern-Passage stand an diesem Tag niemand. Sollte das gestern Hoffmanns Mann gewesen sein, hatte er gesehen, was er sehen wollte.

Der Junge ließ mich nicht rein. Der Fischer sei in einer Besprechung, sagte er. Hinter der Milchglasscheibe der Schwingtür sah ich Schatten hin und her huschen. Dann erhob sich einer der Schatten und verschwand auf dem gleichen Weg, auf dem auch ich verschwunden war – durch die Hintertür.

»Sie können jetzt rein«, sagte der Junge hinter dem Tresen.

»Sorry«, sagte der Fischer. »Es geht hier, so kurz vor Weihnachten, nicht nur um Kabeljau.«

Es stank so streng, dass ich die Nase rümpfen musste. Er lachte.

»Sag bloß, du magst keinen Rochen, Junge?« Er nickte in Richtung der Fische, die ausgenommen und zerteilt oder filetiert auf dem Tisch hinter uns lagen. »Ein besseres Versteck gibt es nicht. Wenn man das Dope im gleichen Wagen wie die Rochen transportiert, haben die Drogenhunde keine Chance. Ich weiß, das ist ungewöhnlich, aber ich liebe Rochen-Fischbällchen. Probier mal.« Er nickte in Richtung eines Topfs, der auf der rauhen Tischplatte zwischen uns stand. In der trüben Suppe dümpelten grauweiße Klumpen.

»Wie läuft dieser Teil des Geschäfts eigentlich?«, fragte ich und tat so, als hätte ich die Aufforderung nicht mitbekommen.

»Über die Nachfrage kann ich mich nicht beschweren, aber die Russen werden langsam gierig. Der Umgang mit ihnen wird aber sicher leichter, wenn sie Hoffmann und mich nicht mehr gegeneinander ausspielen können.«

»Hoffmann weiß, dass wir miteinander geredet haben.«

»Er ist nicht dumm.«

»Nein. Deshalb wird er zurzeit auch sehr gut bewacht. Wir können nicht einfach so bei ihm reinmarschieren und ihn erledigen. Wir müssen unsere Phantasie benutzen.«

»Das ist dein Problem«, sagte der Fischer.

»Wir müssen ganz nah ran, in den engeren Kreis.«

»Auch das ist dein Problem.«

»Heute war die Todesanzeige in der Zeitung. Hoffmann junior soll übermorgen beerdigt werden.«

»Ja und?«

»Das könnte unsere Chance sein.«

»Auf einer Beerdigung. Mit so vielen Leuten?« Der Fischer schüttelte den Kopf. »Dafür mache ich meine Boote nicht flott.«

»Nicht auf der Beerdigung. Am Abend zuvor. Bei der Totenwache.«

»Das musst du mir näher erklären.«

Ich weihte ihn in die Details ein. Er schüttelte den Kopf. Ich redete weiter. Er schüttelte nur noch energischer den Kopf. Ich hob eine Hand und redete weiter. Er schüttelte weiterhin den Kopf, jetzt aber mit einem Lächeln. »Ich muss schon sagen. Wie um alles in der Welt bist du denn darauf gekommen?«

»Die Trauerfeier für einen Bekannten von mir war in derselben Kirche. Da lief das so ab.«

»Du weißt, dass ich nein sagen sollte.«

»Ich weiß, dass Sie ja sagen werden.«

»Und wenn ich das tue?«

»Dann brauche ich Geld für drei Särge«, sagte ich. »Im Beerdigungsinstitut Kimen gibt's die von der Stange. Aber das wissen Sie ja …«

Der Fischer sah mich warnend an. Wischte sich die Finger an der Schürze ab. Fuhr sich durch den Bart und strich noch einmal mit den Fingern über die Schürze.

»Nimm dir ein Fischbällchen, ich guck mal nach, was wir in der Kasse haben.«

Ich blieb sitzen und sah die Fischbällchen in der Suppe schwimmen. Die trübe Brühe erinnerte an Sperma. Zum Glück wusste ich, dass es etwas anderes war. Obwohl?

Auf dem Rückweg schaute ich in Marias Laden vorbei. Ich konnte ja auch bei ihr fürs Abendessen einkaufen. Sie drehte mir den Rücken zu und bediente einen Kunden, als ich mir einen Einkaufswagen nahm. Ich ging an den Regalen entlang, nahm Fischstäbchen, Kartoffeln und Möhren. Vier Bier. König-Haakon-Konfekt war im Angebot, fertig eingepackt in Weihnachtspapier. Ich legte es in den Wagen.

Näherte mich Maria und der Kasse. Ich war jetzt der einzige Kunde. Sie hatte mich bemerkt und war rot geworden. Scheiße, eigentlich kein Wunder nach der Nummer mit dem Essen. Sie lud bestimmt nicht oft Männer zu sich nach Hause ein, nicht auf diese Weise.

Ich ging zu ihr und begrüßte sie kurz. Sah in den Wagen und konzentrierte mich darauf, die Waren auf das Band zu legen: Fischstäbchen, Kartoffeln, Möhren und Bier. Die Pralinen behielt ich noch eine Weile in der Hand, zögerte. Der Ring an Corinas Finger. Das war der Ring, den er – der Sohn, der Liebhaber – ihr geschenkt hatte. Einfach so. Und ich kam zu Weihnachten mit einer albernen Pralinenschachtel, die noch dazu eingepackt war, als enthielte sie Kleopatras Zepter.

»Ist. Das. Alles?«

Ich sah Maria überrascht an. Sie hatte gesprochen. Verdammt, sie hatte gesprochen! Es klang seltsam. Logisch. Aber es waren Worte gewesen. Worte, wie von dir und mir. Sie strich sich die Haare aus dem Gesicht. Die Sommersprossen. Ihre ruhigen Augen. Sie wirkten etwas müde.

»Ja«, sagte ich mit überdeutlicher Betonung. Spitzte die Lippen.

Sie lächelte.

»Das ... ist ... alles«, sagte ich langsam und etwas zu laut.

Sie nickte und warf einen fragenden Blick auf die Pralinenschachtel.

»Für ... dich.« Ich hielt sie ihr hin. »Frohe ... Weihnachten.«

Sie legte die Hand vor den Mund. Und hinter dieser Hand spielte sich eine ganze Theatervorstellung unterschiedlichster Gesichtsausdrücke ab. Mehr als sechs. Darunter Überraschung, Erstaunen, Freude, Verlegenheit, gefolgt von fragend hochgezogenen Augenbrauen. Warum? Dann wurden die Augen zu Strichen, die lächelnd »Danke« sagten. Vermutlich ist das so, wenn man nicht reden kann. Vielleicht eignet man sich dann eine derart ausdrucksstarke Mimik an und lernt, eine Art von Pantomime zu spielen, die auf alle, die das nicht gewohnt sind, übertrieben wirkt.

Ich reichte ihr die Schachtel. Sah, wie ihre sommersprossige Hand sich der meinen näherte. Was wollte sie? Hatte sie vor, meine Hand zu nehmen? Ich zog sie weg. Nickte kurz und ging in Richtung Tür. Spürte ihren Blick im Rücken. Verdammt, ich hatte ihr bloß eine Schachtel Pralinen geschenkt, was wollte diese Frau denn?

Die Wohnung lag im Dunkeln, als ich die Tür aufschloss, aber unter der Bettdecke konnte ich Corinas Umrisse ausmachen.

So still und regungslos, dass es mir seltsam erschien. Ich ging langsam zu ihr und stellte mich vor sie. Sie sah so friedlich aus. So blass. Eine Uhr begann in meinem Kopf zu ticken, immer schneller, als wollte sie irgendwohin. Ich beugte mich vor, hatte das Gesicht dicht über ihrem Mund. Etwas fehlte. Die Uhr tickte lauter und lauter.

»Corina«, flüsterte ich.

Keine Reaktion.

»Corina«, wiederholte ich etwas lauter und hörte in meiner Stimme einen Ton mitschwingen, den ich zuvor noch nie gehört hatte, hilflos und hoch.

Sie schlug die Augen auf.

»Komm her, mein Bär«, flüsterte sie, legte die Arme um mich und zog mich ins Bett.

»Härter«, flüsterte sie. »Ich gehe nicht kaputt, weißt du.«

Nein, dachte ich. Du gehst nicht kaputt. Wir, *das hier*, geht nicht kaputt. Denn genau hierauf habe ich mein ganzes Leben gewartet, dafür habe ich immer gearbeitet. Nur der Tod konnte das zerstören.

»Oh, Olav«, flüsterte sie. »Oh, Olav.«

Ihr Gesicht leuchtete, sie lächelte, aber ihre Augen waren blank von Tränen. Ihr Körper lag weiß wie Schnee unter mir, und obgleich sie mir in diesem Moment so nah war, wie man einem anderen Menschen nur nah sein kann, fühlte es sich an, als sähe ich sie wie beim ersten Mal aus der Ferne durch das Fenster auf der anderen Seite der Straße. Mir ging durch den Kopf, dass man einen anderen Menschen vielleicht niemals nackter sieht als in einem Moment, in dem er sich nicht beobachtet fühlt. Sie hatte mich so noch nie gesehen und würde mich wohl auch nie so sehen. Gleichzeitig kam mir der Gedanke, dass ich noch immer die Blätter hatte, den nie fertiggeschriebenen Brief. Sollte Corina ihn finden, würde sie ihn möglicherweise missverstehen. Aber es irritierte mich, dass mein Herz wegen einer solchen Bagatelle plötzlich schneller schlug. Die Blätter lagen unter der Besteckbox in der Küchenschublade. Warum sollte jemand auf die Idee kommen, sie da rauszunehmen? Trotzdem beschloss ich, die Blätter bei der nächstbesten Gelegenheit wegzuwerfen.

»So, ja, Olav.«

Als ich kam, löste sich etwas in mir, das lange im Verborgenen gelegen hatte. Ich weiß nicht was, aber der Erguss riss es mit sich und spülte es aus mir heraus. Ich blieb auf dem Rücken liegen und rang nach Atem, war verändert, wusste nur noch nicht wie.

Sie beugte sich über mich, kitzelte mich an der Stirn.

»Wie fühlst du dich, mein König?«

Ich antwortete mit belegter Stimme.

»Was?«, fragte sie lachend.

Ich räusperte mich und wiederholte: »Hungrig.«

Sie lachte noch lauter.

»Und glücklich«, sagte ich.

Corina war allergisch gegen Fisch. Wie ihre ganze Familie.

Die Läden waren geschlossen, aber ich sagte, ich könne bei Chinapizza ein CP Spezial bestellen.

»*Chinapizza?*«

»Chinesisch und Pizza. Beides. Ich esse da fast jeden Tag.«

Ich zog mich wieder an und ging nach draußen zur Telefonzelle an der Ecke. Ich hatte noch nie einen Anschluss in der Wohnung gehabt, ich wollte das nicht.

Wollte keine Leitung, die zu mir führte und über die mich jemand hören konnte. Mich finden. Mit mir reden konnte.

Aus der Telefonzelle sah ich mein Fenster in der vierten Etage. Und ich sah Corina. Sie stand dort, ihr Kopf umrahmt von Licht, wie ein Heiligenschein. Sie schaute zu mir herunter. Ich winkte. Sie winkte zurück.

Die Münze fiel mit einem metallischen Klappern nach unten.

»Chinapizza, bitteschön?«

»Hei, Lin, hier ist Olav. Eine CP Spezial, bitte, take away.«

»Nicht hiel essen, Mistel Olav?«

»Heute nicht, nein.«

»Eine Vieltelstunde.«

»Danke. Noch eine Frage. Hat bei Ihnen jemand nach mir gefragt?«

»Nach Ihnen? Nein.«

»Gut. Sitzt bei Ihnen jemand, den Sie schon mal in meiner Begleitung gesehen haben? Ein Mann mit einem dünnen Bart, der wie aufgemalt aussieht? Oder einer mit einer braunen Lederjacke und einer Zigarette hinter dem Ohr?«

»Mal sehen. Neiiin …«

Sie hatten nur etwa zehn Tische, so dass ich ihm glaubte. Weder Brynhildsen noch Pine warteten auf mich. Sie waren mehr als einmal mit mir dort gewesen, hatten aber sicher keine Ahnung, wie oft ich wirklich dort aß. Gut.

Ich schob die schwere Tür der Telefonzelle auf und sah zu meinem Fenster hoch. Corina stand noch immer dort.

Als ich eine Viertelstunde später die Tür öffnete, war die Pizza bereits fertig. Ich bekam eine Pappschachtel in der Größe eines Campingtisches. CP Spezial. Oslos beste Pizza. Ich freute mich darauf, Corinas Gesicht zu sehen, wenn sie den ersten Bissen aß.

»See you latel, all-a-gatol«, rief Lin wie üblich hinter mir her, als ich schon fast durch die Tür war. Sie fiel ins Schloss, ehe er den Gruß noch einmal wiederholen konnte.

Ich hastete über den Bürgersteig und bog, an Corina denkend, um die nächste Ecke. Offenbar dachte ich ziemlich *fest* an Corina. Eine andere Entschuldigung habe ich nicht dafür, dass ich die Typen weder gesehen noch gehört, noch an das eigentlich Entscheidende gedacht hatte. Wenn ich wusste, dass sie meine Stammkneipe kannten, mussten sie damit rechnen, dass ich mich diesem Ort nur mit größter Vorsicht näherte. Deshalb hatten sie nicht drinnen in der hell erleuchteten Wärme gewartet, sondern draußen im Dunkeln in der kosmischen Kälte ausgeharrt, in der sich, wie ich meinte, auch alle Moleküle nur in Zeitlupe bewegten.

Ich hörte den Schnee zweimal knirschen, aber die Scheißpizza war im Weg, so dass ich es nicht schaffte, die Pistole zu ziehen, bevor ich ein kaltes Stück Metall am Ohr spürte.

»Wo ist sie?«

Es war Brynhildsen. Der bleistiftstrichdünne Bart bewegte sich beim Sprechen. Neben ihm stand ein junger Typ, der eher ängstlich als gefährlich aussah. Auf seiner Brust hätte ebenso gut ein »Anfänger«-Schild kleben können, aber er war gründlich, als er mich durchsuchte. Er reichte Brynhildsen meine Waffe. Ich ging davon aus, dass Hoffmann den Jungen als Hilfe mitgeschickt, ihm aber noch keine scharfe Waffe gegeben hatte. Allenfalls ein Messer oder so was. Eine Zuhälterwaffe. Schusswaffen waren Drogenwaffen.

»Hoffmann sagt, du bleibst am Leben, wenn du seine Frau auslieferst«, sagte Brynhildsen.

Eine Lüge, aber ich hätte natürlich das Gleiche gesagt. Ich schätzte meine Lage ein. Die Straße war wie leergefegt, weder Menschen noch Autos. Außer den falschen. Es war so still, dass ich die Feder in der Waffe knirschen hörte, als sie gespannt wurde.

»Also, wird's bald«, sagte Brynhildsen. »Wir finden sie auch ohne dich, klar?«

Er hatte recht, er bluffte nicht.

»Okay«, sagte ich. »Ich habe sie mitgenommen, um etwas in der Hand zu haben, sollte es zu Verhandlungen kommen. Ich wusste ja nicht, dass der Mann Hoffmanns Sohn war.«

»Keine Ahnung, wovon du redest. Wir sollen nur Hoffmanns Frau herschaffen.«

»Dann gehen wir und holen sie.«

Sagte ich.

KAPITEL 13

»Wir *müssen* die U-Bahn nehmen«, erklärte ich. »Die Frau geht davon aus, dass ich sie beschütze. Und in gewisser Weise tue ich das ja auch. Solange ich sie nicht für diesen Deal nutzen kann. Ich habe ihr gesagt, sie soll abhauen, wenn ich nicht in einer halben Stunde zurück bin, weil dann irgendwas nicht in Ordnung ist. Mit dem Auto brauchen wir jetzt im Vorweihnachtsverkehr aber mindestens eine Dreiviertelstunde.«

Brynhildsen starrte mich an. »Dann ruf sie an und sag, dass du ein bisschen später kommst.«

»Ich habe kein Telefon.«

»Was? Und wieso war dann die Pizza fertig, als du kamst, Olav Johansen?«

Ich schaute auf den großen roten Karton runter. Brynhildsen war kein Idiot. »Telefonzelle.«

Brynhildsen fuhr sich mit Daumen und Zeigefinger auf beiden Seiten des Mundes über den Bart, als wollte er die Striche in die Länge ziehen. Dann warf er prüfend einen Blick auf die Straße. Vermutlich schätzte er den Verkehr ein. Sicher fragte er sich aber auch, was

Hoffmann sagen würde, wenn ihm die Frau durch die Lappen ging.

»Eine CP Spezial?« Das war der Junge. Er grinste breit und deutete auf den Karton. »Die beste Pizza der Stadt, nicht wahr?«

»Halt's Maul«, sagte Brynhildsen, der sich nicht mehr über den Bart strich und einen Entschluss gefasst hatte.

»Wir nehmen die Bahn. Und rufen Pine aus deiner Telefonzelle an, damit er uns da auflesen kann.«

Wir brauchten etwa fünf Minuten zur U-Bahn-Haltestelle am Nationaltheater. Brynhildsen zog den Ärmel seines Mantels über die Pistole.

»Du musst dir dein Ticket aber selbst kaufen, das spendier ich dir nicht«, sagte er, als wir am Ticket-schalter standen.

»Das Ticket, das ich eben gekauft habe, gilt eine Stunde, das kann ich noch mal nehmen«, log ich.

»Stimmt«, grunzte Brynhildsen.

Vielleicht wurden wir ja kontrolliert, und die Kontrolleure nahmen mich mit auf eine sichere Polizeiwache. Man soll ja die Hoffnung nie aufgeben …

In der U-Bahn war es so voll, wie ich gehofft hatte. Müde Angestellte, kaugummikauende Jugendliche, dick eingepackte Männer und Frauen mit Weihnachtspäckchen in Tüten. Wir fanden keine Sitzplätze, sondern stellten uns alle drei mitten in den Wagen und hielten uns an der glatten Stahlstange fest. Die Türen wurden geschlossen, und der Atem der Menschen schlug sich an den Scheiben nieder. Der Zug fuhr los.

»Hovseter. Ich hätte nicht geglaubt, dass du im no-
blen Westen der Stadt wohnst, Johansen.«

»Tja, das Leben ist voller Überraschungen, Brynhildsen.«

»Ach ja? Und mich überrascht, dass du deine Pizza
nicht irgendwo da im Westen geholt hast statt hier im
Zentrum.«

»Das ist eine CP Spezial«, sagte der Junge andächtig
und starrte auf den roten Karton, der in dem über-
füllten Waggon unanständig viel Platz einnahm. »Das
ist was ganz ...«

»Halt's Maul. Dann magst du also kalte Pizza, Johansen?«

»Wir wärmen sie wieder auf.«

»Wir? Du und Hoffmanns Schlampe?« Brynhildsen
lachte sein Ein-Stoß-Lachen. Es klang wie ein Axthieb.
»Du hast recht, Johansen, das Leben ist voller Überraschungen.«

Ja, dachte ich. Wie konnte ich zum Beispiel darauf
vertrauen, dass ein Typ wie Hoffmann mich am Leben
lassen und ein Typ wie ich nicht irgendwelche ver-
zweifelten Dinge unternehmen würde, um sich doch
noch irgendwie zu retten. Brynhildsens Augenbrauen
wuchsen beinahe über seiner Nasenwurzel zusammen.

Ich konnte nicht lesen, was hinter seiner Stirn vor
sich ging, tippte aber darauf, dass ihr Plan darauf hin-
auslief, Corina und mich in meiner Wohnung zu erschießen. Vermutlich würden sie mir anschließend die
Waffe in die Hand drücken, damit es wie Mord und
Selbstmord aussah. Wie das klassische Liebesdrama.

Immerhin besser, als uns in irgendeinem See außerhalb von Oslo zu versenken. Wenn Corina einfach verschwand, rückte Hoffmann automatisch ins Blickfeld der Polizei, und das konnte er sich nun wirklich nicht leisten. Ich an Brynhildsens Stelle würde so vorgehen. Aber Brynhildsen war nicht ich. Brynhildsen war ein Typ mit einem unerfahrenen Assistenten, einer im Ärmel versteckten Pistole und einer Beinhaltung, mit der er, eine Hand nur locker um die Stange gelegt, kaum die Balance würde halten können. Typischer Anfängerfehler. Ich begann mit dem Countdown, kannte hier jeden Schienenübergang, jedes Ruckeln, jedes Komma und jeden Punkt.

»Halt mal«, sagte ich und drückte dem Jungen die Pizzaschachtel gegen die Brust, der sie automatisch ergriff.

»He!«, rief Brynhildsen durch das metallische Scheppern und hob die Hand mit der Pistole, als wir die Weiche erreichten. Ich beugte mich zurück, als der Ruck, der durch die Bahn ging, Brynhildsen zwang, die Pistolenhand zur Seite zu strecken, um die Balance zu halten. Ich hatte beide Hände um die Stange gelegt, zog mich mit aller Kraft hoch und zielte mit der Stirn auf den Punkt, an dem die Augenbrauen sich über der Nasenwurzel trafen. Irgendwo hatte ich gelesen, dass ein menschlicher Kopf rund viereinhalb Kilo wiegt und bei einer Geschwindigkeit von siebzig Stundenkilometern eine gebündelte Kraft ausmacht, die ein besserer Mathekopf als ich ausrechnen muss. Als ich mich wieder zurücklehnte, spritzte Blut aus Brynhildsens

gebrochener Nase. In seinen Augen war nur noch das
Weiße zu sehen. Die Arme hatte er steif zur Seite ge-
streckt. Wie ein Pinguin. Brynhildsen war eindeutig
ausgeknockt, aber um zu vermeiden, dass er wieder zu
sich kam, nahm ich seine beiden Hände, dabei packte
ich mit einer Hand die Pistole in seinem Mantelärmel,
als wollten wir ein Tänzchen wagen. Dann wiederholte ich das Procedere, obwohl ihn schon der erste
Kopfstoß ausgeknockt hatte. Ich zog ihn fest an mich,
beugte den Kopf vor und traf erneut seine Nase. Etwas, das vermutlich nicht nachgeben sollte, gab nach.
Dann ließ ich ihn, aber nicht die Pistole los. Er fiel wie
ein Sack zu Boden, während die Menschen um uns
herum erschrocken zurückwichen.

Ich drehte mich um und richtete die Pistole auf den
Jungen, als eine nasale, übertrieben uninteressierte
Lautsprecherstimme »Majorstua« ansagte.

»Meine Haltestelle«, sagte ich, beugte mich herunter, ohne den Jungen aus den Augen zu lassen, zog
meine Waffe aus Brynhildsens Brusttasche und steckte
sie ein.

Der Junge starrte mich mit kreisrunden Augen über
den Pizzakarton hinweg an, und sein Mund stand so
weit offen, dass er ein pervers attraktives Ziel ausmach-
te. Wer weiß, in ein paar Jahren war er vielleicht deutlich erfahrener und sicher besser bewaffnet auf meiner
Spur. In ein paar Jahren? Die jungen Leute von heute
lernten das doch in drei bis vier Monaten.

Der Zug bremste. Ich schob mich zur Tür hinter
mir. Plötzlich hatten wir viel Platz, die Leute press-

ten sich an die Seiten und starrten uns an. Ein Baby brabbelte selig mit seiner Mutter, ansonsten war es mucksmäuschenstill. Die Bahn hielt an, die Türen öffneten sich. Ich trat noch einen Schritt nach hinten und blieb in der Türöffnung stehen. Sollte jemand hinter mir sein und die Bahn betreten wollen, suchte er sich besser eine andere Tür.

»Los«, sagte ich.

Der Junge reagierte nicht.

»Los!«, wiederholte ich etwas deutlicher.

Der Junge blinzelte, er verstand mich noch immer nicht.

»Die Pizza.«

Er trat apathisch wie ein Schlafwandler einen Schritt vor und reichte mir den roten Karton. Ich stieg rückwärts aus der Bahn. Blieb stehen und richtete weiter die Waffe auf den Jungen, damit er verstand, dass das wirklich nur *meine* Haltestelle war. Ich warf einen letzten Blick auf Brynhildsen. Er lag flach auf dem Boden, eine seiner Schultern zuckte, wie ein elektrischer Impuls in einer ansonsten kaputten Maschine. Sterben würde er nicht.

Die Türen schlossen sich.

Der Junge starrte mich durch die winterlich schmutzige, salzverschmierte Scheibe an. Dann fuhr die Bahn weiter in Richtung Hovseter.

»See you latel, all-a-gatol«, flüsterte ich, ließ die Pistole sinken und ging schnell durch die Dunkelheit nach Hause. Als ich die ersten Polizeisirenen hörte, stellte ich den Pizzakarton auf die Treppe einer geschlossenen Buchhandlung und ging wieder in Richtung Haltestelle. Danach machte ich aufs Neue kehrt und ging schnell zurück. Der Pizzakarton stand noch auf der Treppe. Ich freute mich – wie gesagt – darauf, Corinas Gesicht zu sehen, wenn sie den ersten Bissen aß.

KAPITEL 14

»Du hast nicht gefragt«, sagte sie im Dunkeln.

»Nein«, erwiderte ich.

»Warum nicht?«

»Wahrscheinlich, weil ich nicht neugierig bin.«

»Aber du musst dich doch fragen. Vater und Sohn ...?«

»Du wirst es mir schon erzählen, wenn dir danach ist, denke ich.«

Das Bett knarrte, als Corina sich zu mir umdrehte. »Und was, wenn ich es dir niemals erzähle?«

»Dann werde ich es nie erfahren.«

»Ich verstehe dich nicht, Olav. Warum wolltest du mich retten? *Mich?* Du bist so ein guter Mensch, und dann setzt du dich für so ein dummes Wesen wie mich ein?«

»Du bist nicht dumm.«

»Was weißt du denn? Du versuchst ja gar nicht erst, es herauszufinden.«

»Ich weiß auf jeden Fall, dass du jetzt bei mir bist. Und mir reicht das erst einmal.«

»Und danach? Sagen wir mal, du schaffst es, Daniel

zu erledigen, bevor er dich erledigt. Und wir gehen dann nach Paris, und es gelingt uns irgendwie, genug Geld zum Leben zusammenzukratzen. Bestimmt fragst du dich doch irgendwann, wer die Frau ist, die gleichzeitig die Geliebte von Vater und Sohn sein konnte. So einer Person ist doch nicht wirklich zu trauen, oder? Wer sich derart auf Verrat versteht ...«

»Corina«, sagte ich und griff nach den Zigaretten. »Wenn es dich derart quält, was ich mich fragen oder nicht fragen werde, darfst du es mir gerne erzählen. Ich habe nur gesagt, es ist deine Entscheidung.«

Sie biss mir sanft in den Oberarm. »Hast du Angst vor dem, was ich sagen könnte? Zu erfahren, dass ich doch nicht die bin, für die du mich hältst? Doch nicht so, wie du es dir wünschst?«

Ich fischte eine Zigarette aus dem Päckchen, fand aber kein Feuerzeug. »Hör mal. Ich verdiene mir meine Brötchen damit, andere Menschen umzubringen. Ich bin ziemlich tolerant, was den Lebenswandel oder die Beweggründe meiner Mitmenschen angeht.«

»Ich glaube dir nicht.«

»Was?«

»Ich glaube dir nicht. Ich glaube, du versuchst nur, das zu verstecken.«

»Was zu verstecken?«

Ich hörte, wie sie schluckte. »Dass du mich liebst.«

Ich sah sie an.

Das Mondlicht, das durch die Fenster fiel, glitzerte in ihren feuchten Augen.

»Du liebst mich, Dummerchen.« Sie schlug mir

kraftlos gegen die Schulter. Wiederholte: *Du liebst mich, Dummerchen, du liebst mich, Dummerchen*, während ihr Tränen über die Wangen liefen.

Ich zog sie fest an mich. Hielt sie, bis meine Schulter warm und dann wieder kalt wurde, weil sie von den Tränen ganz nass war. Mein Blick fiel auf ein Feuerzeug. Es lag auf dem leeren roten Pizzakarton. Sollte ich jemals gezweifelt haben, wusste ich es jetzt. Sie liebte CP Spezial. Sie liebte mich.

KAPITEL 15

Der Tag vor Weihnachten.

Es war kälter geworden. Das war's erst mal mit dem Tauwetter.

Ich rief aus der Telefonzelle an der Ecke im Reisebüro an, erfuhr, was die Flugtickets nach Paris kosteten, und sagte, ich würde zurückrufen. Dann meldete ich mich beim Fischer.

Sagte ohne Einleitung, dass ich Geld dafür wollte, Hoffmann zu expedieren.

»Das ist eine offene Leitung, Olav.«

»Wir werden nicht abgehört«, sagte ich.

»Und woher willst du das wissen?«

»Hoffmann bezahlt jemanden bei der Telefongesellschaft, der eine Übersicht hat, welche Telefone abgehört werden und welche nicht. Von euch ist niemand auf der Liste.«

»Ich helfe dir, dein Problem zu lösen, Olav, warum sollte ich dich auch noch dafür bezahlen?«

»Weil Sie dermaßen viel Kohle machen werden, wenn Hoffmann erst mal weg ist, dass wir eigentlich hier nur über Peanuts reden.«

Eine Pause, nicht lang.

»Wie viel?«

»Vierzigtausend.«

»Okay.«

»In bar. Ich hole das Geld morgen früh im Laden ab.«

»Okay.«

»Und noch etwas. Ich gehe heute Abend nicht das Risiko ein, noch einmal im Laden vorbeizukommen, Hoffmanns Leute sind mir etwas zu dicht auf den Fersen. Ihre Leute müssen mich um sieben auf der Rückseite des Bislett Stadions abholen.«

»Geht in Ordnung.«

»Die Särge und den Wagen haben Sie?«

Der Fischer antwortete nicht.

»Sorry«, antwortete ich. »Ich bin es gewohnt, mich immer selbst um alles zu kümmern.«

»War's das?«

Wir legten auf. Ich blieb stehen und starrte auf den Hörer. Der Fischer hatte, ohne zu zögern, eingewilligt. Vierzigtausend. Fünfzehn hätten mir auch schon gereicht. War ihm das nicht klar? Er war doch Geschäftsmann? Irgendwas stimmte da nicht. Hatte ich einen Fehler gemacht? Mich zu billig verkauft? Hätte ich sechzig verlangen müssen oder achtzig? Aber dafür war es jetzt zu spät. Trotzdem gut, dass ich endlich einmal nachverhandelt hatte.

Ich bin in der Regel nervös, wenn ein Auftrag länger als einen Tag vor mir liegt. Doch wenn ich die Stunden zählen kann, fällt diese Nervosität mehr und mehr von mir ab.

So war es auch dieses Mal.

Ich ging im Reisebüro vorbei und kaufte die Tickets nach Paris. Bekam ein Hotel am Montmartre empfohlen. Günstig, aber gemütlich und romantisch, sagte die Frau hinter dem Tresen.

»Interessant«, sagte ich.

»Ein Weihnachtsgeschenk?« Die Frau lächelte, als sie den Auftrag auf einen Namen eintippte, der meinem ähnlich war, aber nicht ganz stimmte. Noch nicht, ich würde ihn kurz vor dem Abflug korrigieren. Ihr Name stand auf dem Schild an der apfelgrünen Jacke, allem Anschein nach die Arbeitskleidung der Angestellten in diesem Reisebüro. Sie war stark geschminkt. Tabakflecken auf den Zähnen. Sonnengebräunt. Vielleicht bekamen die Angestellten ja Rabatt auf Reisen in den Süden.

Ich ging nach draußen auf die Straße. Sah nach rechts und links. Sehnte mich nach der Dunkelheit.

Auf dem Rückweg bemerkte ich, dass ich sie nachmachte. Maria.

Ist. Das. Alles.

Um fünf Uhr hatte ich zwei Koffer gepackt.

»Was du brauchst, kaufen wir in Paris«, sagte ich zu Corina, die deutlich nervöser war als ich.

Um sechs Uhr hatte ich die Pistole auseinandergenommen, gesäubert, geölt und wieder zusammengesetzt.

Das Magazin gefüllt. Ich duschte und zog mich im Bad um. Ging alles noch einmal durch. Überlegte, wie es ablaufen könnte. Auf jeden Fall musste ich dafür sorgen, dass Klein zu keiner Zeit hinter mir war. Ich zog den schwarzen Anzug an. Setzte mich in den Sessel, schwitzte. Corina fror.

»Viel Glück«, sagte sie.

»Danke«, erwiderte ich, stand auf und ging.

KAPITEL 16

Ich trat im Dunkeln hinter dem alten Fußball- und Eislaufstadion von einem Fuß auf den anderen.

Laut *Aftenposten* sollten die Temperaturen im Laufe der Nacht und in den nächsten Tagen noch weiter fallen. Inzwischen waren sie sich sicher, dass der Kälterekord geknackt würde.

Exakt um sieben Uhr rollte der schwarze Lieferwagen um die Straßenecke. Keine Minute zu früh, keine Minute zu spät. Ich nahm das als ein gutes Zeichen.

Ich öffnete die Tür des Laderaums und stieg ein. Klein und der Däne hatten sich je auf einen weißen Sarg gesetzt. Sie trugen schwarze Anzüge und, wie von mir gewünscht, weiße Hemden und Krawatten. Der Däne begrüßte mich, er hatte diesen seltsamen Akzent. Klein starrte mich nur mürrisch an. Ich setzte mich auf den dritten Sarg und klopfte gegen die Trennscheibe zur Fahrerkabine. Der junge Mann, der mich nicht aus den Augen gelassen hatte, als ich in die Fischhandlung gekommen war, fungierte heute als Fahrer.

Der Weg hinauf zur Ris Kirche führte über stille,

kurvige Straßen mit ansehnlichen Villen. Ich sah nichts davon, wusste aber ziemlich genau, wo wir waren.

Ich schnupperte. Hatte der Fischer einen seiner Fischwagen benutzt? Hoffentlich hatte er dann auch falsche Nummernschilder montiert.

»Woher stammt der Wagen?«, fragte ich.

»Der stand am Ekeberg«, sagte der Däne. »Der Fischer hat gesagt, ich solle etwas Beerdigungstypisches besorgen.« Er lachte laut. »*Beerdigungstypisch.*«

Ich schluckte die Frage herunter, warum es im Innern des Lieferwagens dann so nach Fisch stank. Das konnte dann ja nur von ihnen kommen. Nach wenigen Minuten im Hinterzimmer des Ladens stank jeder nach Fisch, ich hatte auch gestunken.

»Wie fühlt es sich eigentlich an«, fragte Klein plötzlich, »seinen Chef zu liquidieren?«

Es war sicher besser, so wenig wie möglich mit Klein zu reden. »Weiß nicht«, sagte ich.

»Natürlich weißt du das! Red schon.«

»Vergiss es!«

»Nein.«

Ich sah Klein an, dass er nicht nachgeben würde.

»Zum einen ist Hoffmann nicht mein Chef, zum anderen habe ich es nicht so mit Gefühlen.«

»Klar ist er dein Chef!« Ich hörte die Wut in seiner Stimme.

»Wenn du meinst.«

»Warum sollte er denn *nicht* dein Chef sein?«

»Das ist doch nicht so wichtig.«

»Komm schon, Mann. Schließlich sollen wir dir

heute Abend den Arsch retten, da kannst du uns doch wohl ...«, er hielt mir Zeigefinger und Daumen hin, »ein klein bisschen entgegenkommen.«

Der Wagen fuhr ziemlich abrupt um eine Kurve, und wir rutschten auf den glatten Sargdeckeln hin und her.

»Hoffmann bezahlt mich pro Stück«, sagte ich. »Er ist also ein Kunde von mir. Darüber hinaus ...«

»*Kunde?*«, wiederholte Klein. »Und Mao war ein *Stück?*«

»Wenn Mao einer von denen war, die ich expediert habe, dann war Mao ein Stück, ja. Tut mir leid für dich, wenn du emotional mit ihm verbunden warst.«

»Emotional verb...« Klein spuckte die Worte aus, aber seine Stimme versagte. Er musste tief durchatmen. »Was glaubst du eigentlich, wie lange du selbst noch lebst, du ...?«

»Heute Abend ist Hoffmann ein Stück«, sagte ich. »Ich würde vorschlagen, dass wir uns erst einmal auf ihn konzentrieren.«

»Und wenn er erledigt ist«, sagte Klein, »ist der Nächste an der Reihe.«

Er starrte mich an, ohne auch nur zu versuchen, seinen Hass zu verbergen.

»Da du allem Anschein nach auf Chefs stehst«, sagte ich, »möchte ich dich an die Order erinnern, die der Fischer dir gegeben hat.«

Klein griff nach seiner hässlichen Flinte, aber der Däne legte ihm die Hand auf den Arm. »Immer mit der Ruhe, Klein.«

Der Wagen wurde langsamer. Der junge Mann sprach in Richtung Scheibe. »Es ist Zeit, in eure Vampirbetten zu steigen, Jungs.«

Wir nahmen die Deckel von den diamantförmigen Särgen und legten uns hinein. Ich wartete, bis Klein seinen Deckel zugemacht hatte, ehe ich meinen auflegte. Wir konnten den Deckel von innen mit zwei Schrauben fixieren, nur ein paar Umdrehungen, aber genug, um ihn an Ort und Stelle zu halten. Zugleich war der Deckel schnell aufzumachen, wenn die Zeit gekommen war. Ich war nicht mehr nervös. Aber meine Knie zitterten. Merkwürdig.

Wir hielten an, Türen schlugen, und von draußen waren Stimmen zu hören.

»Danke, dass wir Ihren Keller benutzen dürfen.« Die Stimme des jungen Mannes.

»Ist doch selbstverständlich.«

»Man hat mir auch Hilfe zum Tragen versprochen.«

»Ja, die Toten selbst können einem ja nicht mehr behilflich sein.«

Männerlachen. Vermutlich ein Mitarbeiter des Beerdigungsinstituts. Die Tür des Laderaums wurde geöffnet. Ich lag so still, wie ich konnte, als mein Sarg angehoben wurde. Wir hatten unten und an den Seiten Atemlöcher gebohrt, durch die schmale Lichtstreifen in den Sarg fielen, als ich in den Flur getragen wurde.

»Ist das die Familie, die auf dem Trondheimsveien umgekommen ist?«

»Ja.«

»Hab davon in der Zeitung gelesen, tragische Geschichte. Die sollen ganz oben im Norden beerdigt
werden, nicht wahr?«

»Ja.«

Es ging nach unten, ich rutschte nach hinten und
stieß mit dem Kopf an die Rückwand. Verdammt, ich
dachte immer, die Toten würden mit den Beinen vo-
ran getragen werden.

»Dann habt ihr es nicht mehr geschafft, die noch
vor Weihnachten hochzubringen?«

»Nein, die sollen in Narvik beerdigt werden. Das
sind zwei Tage Fahrt.« Kurze, schlurfende Schritte.
Sie waren jetzt auf der engen Steintreppe. Ich erinnerte mich gut daran.

»Warum werden die eigentlich nicht mit dem Flug-
zeug transportiert?«

»Das war den Angehörigen zu teuer«, sagte der junge Mann. Er machte seinen Job gut. Ich hatte gesagt,
er solle vorgeben, noch ganz neu im Unternehmen zu
sein, falls ihm zu viele Fragen gestellt wurden.

»Und während der Wartezeit wollten die Angehörigen sie in einer Kirche haben?«

»Ja, vermutlich wegen Weihnachten und so.«

Es wurde wieder eben.

»Ja, ja, schon verständlich. Also, hier ist Platz, aber
das sehen Sie ja selbst. Da steht nur der eine Sarg für
die Beerdigung morgen. Der ist offen, die Familie
kommt gleich noch mal. Wir können den Sarg hier auf
die Böcke stellen.«

»Ach, stellen wir ihn doch einfach auf den Boden.«

»Wir sollen den Sarg einfach auf den Betonboden stellen?«

»Ja.«

Sie waren stehen geblieben. Zögerten.

»Wie Sie wollen.«

Ich wurde zu Boden gelassen. Hörte ein Kratzen unweit meines Kopfes. Dann entfernten sich die Schritte.

Ich war allein. Sah durch eines der Löcher nach draußen. Ganz allein war ich nicht. Da war noch die Leiche. Meine Leiche. Bei meinem letzten Besuch war ich hier unten auch allein mit einer Leiche gewesen. Meine Mutter hatte in ihrem Sarg so klein ausgesehen. Irgendwie geschrumpft. Vielleicht hatte die Seele bei ihr mehr Platz eingenommen als bei anderen Menschen. Von ihrer Familie war dann auch jemand gekommen, ich hatte keinen von ihnen jemals zuvor gesehen. Ihre Eltern hatten den Kontakt abgebrochen, als meine Mutter mit meinem Vater zusammenkam. Dass sich jemand aus ihrer Familie mit einem Kriminellen abgab, war für Großeltern, Onkel und Tanten schlichtweg inakzeptabel. Glücklicherweise war sie mit dem Kerl in den Osten der Stadt gezogen, aus den Augen, aus dem Sinn. Mit dem Tod meiner Mutter war ich ins Leben der Familie getreten. War mit einem Mal sichtbar für Onkel und Tanten, die bis dahin nur Leute gewesen waren, von denen Mama gesprochen hatte, wenn sie voll oder high war. Die ersten Worte, die ein Verwandter zu mir sagte, waren »Mein Beileid«. Circa zwanzig Beileidsbekundungen in einer Kirche im Westen der Stadt, unweit ihres Elternhauses. Danach war ich wieder auf meine Seite des Flusses zurückgekehrt und hatte keinen von ihnen jemals wiedergesehen.

Ich überprüfte, ob die Schrauben noch richtig festsaßen.

Der zweite Sarg kam.

Die Schritte verschwanden wieder. Ich sah auf die Uhr. Halb acht.

Der dritte Sarg kam.

Der junge Mann und der Bestatter verschwanden über die Treppe nach draußen und redeten dabei darüber, was es Weihnachten zu essen gab.

Bis jetzt war alles nach Plan gelaufen.

Der Pastor hatte keine Einwände gehabt, als ich im Namen der Familie angerufen und ihn darum gebeten hatte, die drei Verkehrsopfer über Weihnachten im Keller seiner Kirche aufzubahren. So waren wir an Ort und Stelle, wenn Hoffmann kam. In einer halben Stunde sollte er hier sein. Mit etwas Glück ließ er seine Bodyguards draußen warten. Aber mindestens das Überraschungsmoment war ja auf unserer Seite.

Der Phosphor auf dem Zifferblatt meiner Uhr leuchtete im Dunkeln.

Zehn vor.

Punkt.

Fünf nach.

Ein Gedanke schoss mir durch den Kopf. Die Blätter. Der Brief. Er lag noch immer unter der Besteckbox in der Küchenschublade. Warum hatte ich ihn nicht weggeworfen? Hatte ich das wirklich einfach nur vergessen? Und warum fragte ich mich das und nicht, *was* passieren würde, wenn Corina ihn fand? *Wollte* ich, dass sie ihn fand? Wenn einem doch jemand all diese Fragen beantworten könnte.

Draußen war das Geräusch von Motoren zu hören. Autotüren knallten.

Schritte auf der Treppe.

»Er sieht so friedlich aus«, flüsterte eine Frauenstimme.

»Wie hübsch sie ihn zurechtgemacht haben«, sagte eine ältere Frauenstimme schluchzend.

Eine Männerstimme: »Ich habe den Schlüssel im Schloss stecken lassen, ich sollte wohl besser ...«

»Du gehst nirgendwohin, Erik.« Die jüngere Frau. »Mein Gott, bist du ein Waschlappen.«

»Aber Schatz, der Wagen ...«

»Er steht auf einem Friedhof, Erik! Was soll denn da schon passieren?«

Ich spähte durch das Loch in der Sargwand.

Ich hatte gehofft, Daniel Hoffmann würde allein kommen. Stattdessen waren sie zu viert und stellten sich alle auf der gleichen Seite des Sarges auf. Mir zugewandt. Ein Mann mit Halbglatze in Daniels Alter, der ihm nicht ähnlich sah. Vielleicht ein Schwager. Das würde zu den beiden anderen passen, die neben ihm standen: eine Frau in den Dreißigern und ein vielleicht zehn- oder zwölfjähriges Mädchen.

Wenn es eine Ähnlichkeit gab, dann mit der älteren, grauhaarigen Frau. Daniel war ihr wie aus dem Gesicht geschnitten. Die große Schwester? Seine jung gebliebene Mutter?

Aber kein Daniel Hoffmann.

Ich redete mir gut zu, dass er bestimmt mit dem eigenen Wagen kam und es schon ein großer Zufall wäre, wenn alle gleichzeitig einträfen.

Dass ich damit richtiglag, entnahm ich dem Blick, den der Schwager mit der Halbglatze auf seine Uhr warf.

»Eigentlich sollte er doch die Geschäfte seines Vaters übernehmen. Der arme Benjamin«, schniefte die Ältere. »Was soll Daniel denn jetzt nur machen?«

»Mutter«, sagte die jüngere Frau in warnendem Tonfall.

»Ach, tu doch nicht so, als wüsste Erik nicht Bescheid.«

Erik hob und senkte die Schultern in seiner Anzugjacke und wippte auf den Füßen. »Stimmt, ich weiß über Daniels Geschäfte Bescheid.«

»Dann weißt du auch, wie krank er ist.«

»Elise hat mir davon erzählt, ja. Aber so viel haben wir mit Daniel ja nicht zu tun. Oder mit dieser … äh …«

»Corina«, warf Elise ein.

»Vielleicht wäre es an der Zeit, dass ihr ihn öfter seht«, sagte die Ältere.

»Mutter!«

»Ich will damit nur sagen, dass wir nicht wissen, wie lange Daniel noch unter uns ist.«

»Wir wollen nichts mit Daniels Geschäften zu tun haben, Mutter. Sieh doch, was mit Benjamin passiert ist.«

131

»Psst!«

Schritte auf der Treppe.

Zwei Gestalten betraten den Raum.

Eine davon umarmte die ältere Frau und nickte der jüngeren und dem Schwager distanziert zu.

Daniel Hoffmann. Und mit ihm Pine, der ausnahmsweise mal den Mund hielt.

Sie stellten sich auf die vordere Seite des Sargs, mit dem Rücken zu uns. Perfekt. Wenn ich davon ausgehe, dass ein von mir zu expedierendes Stück bewaffnet ist, nehme ich bereitwillig große Umwege in Kauf, um in eine Position zu gelangen, aus der ich ihm in den Rücken schießen kann.

Ich legte die Finger um den Schaft der Pistole.

Wartete.

Wartete auf den Kerl mit der Bärenfellmütze.

Er kam nicht.

Er war draußen vor der Kirche postiert worden.

Das erleichterte den ersten Akt, würde uns aber später Probleme bereiten. Aber kommt Zeit, kommt Rat.

Mein Signal für Klein und den Dänen war simpel: Ich würde schreien.

Es sprach nichts dagegen, direkt loszuschlagen. Trotzdem hatte ich das Gefühl, als gäbe es einen richtigen Moment, die perfekte Sekunde zwischen all den anderen Sekunden. Wie bei dem Skistock und meinem Vater. Oder wie in einem Buch, in dem der Autor festlegt, wann genau etwas passiert, von dem man weiß, dass es passieren wird, weil er vorher schon davon erzählt hat. Es gibt eine richtige Reihenfolge in der

Geschichte, einen Augenblick, den es abzuwarten gilt. Alles muss erst an seinem Ort sein. Ich schloss die Lider und spürte den Countdown, eine Feder, die gespannt wurde, ein Tropfen, der noch zitternd an einem Eiszapfen hing.

Dann war der Augenblick da.

Ich schrie und stieß den Deckel hoch.

KAPITEL 17

Alles war hell. Hell und gut. Mutter sagte, ich hätte hohes Fieber, der Arzt sei da gewesen und habe mir ein paar Tage Bettruhe verordnet. Ich solle viel trinken, es sei aber nicht gefährlich. In diesem Moment wusste ich, dass sie sich Sorgen machte. Ich selbst hatte keine Angst. Mir ging es gut. Auch wenn ich die Augen schloss, war es hell, das Licht schien rot und warm durch meine Lider. Ich lag in Mutters großem Bett, und irgendwie war es, als zögen die Jahreszeiten durch den Raum. Dem milden Frühling folgte ein brennend heißer Sommer, in dem mir der Schweiß wie Sommerregen von der Stirn lief und das Laken an der Haut klebte. Danach wurde es besser, der Herbst kam mit kühler, klarer Luft, bevor es plötzlich Winter wurde und ich mit klappernden Zähnen frierend im Bett lag, wie auf Skiern durch Schlaf, Traum und Wirklichkeit schoss.

Sie war in der Bibliothek gewesen und hatte ein Buch für mich ausgeliehen. *Die Elenden* von Victor Hugo. Auf dem Umschlag unter der Zeichnung der jungen Cosette, einer Originalillustration von Émile

Bayard, stand *Gekürzte Ausgabe*. Ich las und träumte. Träumte und las. Fügte Sachen hinzu und ließ andere weg. Wusste nicht mehr sicher, was der Autor erfunden hatte und was von mir war.

Ich glaubte an die Geschichte. Ich glaubte nur nicht, dass Victor Hugo sie richtig erzählt hatte.

Ich glaubte nicht, Jean Valjean habe Brot gestohlen und das sei der Grund für seine Strafe. Ich hatte den Verdacht, Hugo habe da etwas geschönt, damit die Leser auch weiterhin zu ihrem Helden hielten. In Wahrheit hatte Jean Valjean bestimmt jemanden getötet. Er war ein Mörder. Da Jean Valjean aber ein guter Mann war, hatte derjenige, den er getötet hatte, es sicher verdient. Ja, so musste es sein. Jean Valjean hatte jemanden getötet, der Unrecht begangen hatte und dafür bezahlen musste. Der Brotdiebstahl störte mich. Also schrieb ich die Geschichte um. Machte sie besser.

Jean Valjean war bei mir ein gefährlicher Mörder, der in ganz Frankreich gesucht wurde. Und er war verliebt in Fantine, die arme Hure. War ihr völlig ergeben. Was er für sie tat, geschah aus Verliebtheit, weil er verrückt war, sie anbetete und nicht weil er seinen Seelenfrieden retten wollte, es geschah aus Liebe zu den Menschen. Er unterwarf sich der Schönheit. Ja, genau, der Schönheit dieser verdorbenen, kranken, sterbenden Hure, die keine Zähne und Haare hatte. Er sah Schönheit, wo andere nichts sahen. Und deshalb gehörte sie einzig ihm. Und er ihr.

Erst nach zehn Tagen ließ das Fieber langsam nach. Für mich war diese Zeit wie ein Tag gewesen. Als ich wieder richtig zu mir kam, saß Mutter an meinem Bett und streichelte mir über die Stirn. Sie weinte leise und gestand mir, wie knapp es gewesen war.

Ich erzählte ihr, dass ich an einem Ort gewesen war, an den ich gerne wieder zurückkehren wollte.

»So etwas darfst du nicht sagen, Olav, Lieber!«

Ich sah ihr an, was sie dachte. Schließlich hatte auch sie einen Ort, an den sie immer wieder zurückkehren wollte, per Flaschenpost.

»Aber ich will nicht sterben, Mama. Ich will nur dichten.«

KAPITEL 18

Ich kniete und hatte beide Hände um den Griff der Pistole gelegt.

Wie in Zeitlupe beobachtete ich, wie Hoffmann und Pine sich umdrehten.

Ich schoss Pine in den Rücken, und da er dabei war, eine Pirouette zu drehen, gab ich noch einen Schuss ab. Weiße Federn stoben aus seiner braunen Jacke und tanzten wie Schneeflocken durch die Luft. Er hatte es geschafft, seine Waffe aus der Jackentasche zu ziehen und zu schießen, allerdings hatte er den Arm nicht mehr hochgekriegt. Die Kugeln trafen den Boden und die Wände, prallten laut knallend davon ab. Klein hatte den Deckel des Sargs neben mir angehoben, war aber liegen geblieben. Die Wetterlage war ihm wohl zu stürmisch. Der Däne war aus dem Sarg gestiegen und zielte auf Hoffmann, aber ich stand in seiner Schusslinie. Ich ging rückwärts, die Pistole auf Hoffmann gerichtet, der verblüffend schnell war. Er sprang quer über den Sarg, direkt auf das Mädchen zu, das er mit zu Boden riss, während der Rest der Verwandtschaft wie Salzsäulen mit aufgerissenen Mündern hinter dem Sarg stand.

Pine lag unter dem Tisch, auf dem der Sarg von Benjamin Hoffmann aufgebahrt war, und streckte den Pistolenarm wie einen Peilsender aus. Wahllos feuerte er seine Kugeln ab. Blut und Rückenmark auf dem Beton. Glock-Pistole. Verdammt viele Kugeln. Es war nur eine Frage der Zeit, bis eine davon traf. Ich verpasste Pine noch eine Kugel. Trat gegen Kleins Sarg und richtete die Pistole wieder auf Hoffmann. Sah ihn über Kimme und Korn hinweg an. Er saß mit dem Rücken an der Wand auf dem Boden und hielt das schmächtige Mädchen mit einem Arm vor sich auf dem Schoß fest. In der anderen Hand hielt er eine Pistole, die er auf die Schläfe des Mädchens richtete. Sie war vollkommen still und sah mich mit ihren braunen Augen an, ohne auch nur einmal zu blinzeln.

»Erik …« Hoffmanns Schwester ließ ihren Bruder nicht aus den Augen, sprach aber mit ihrem Mann.

Da endlich reagierte der Mann mit dem Yin-Yang-Scheitel und machte unsicher einen Schritt auf seinen Schwager zu.

»Komm nicht näher, Erik«, sagte Hoffmann. »Diese Leute haben es nicht auf dich abgesehen.«

Aber Erik blieb nicht stehen, er taumelte wie ein Zombie weiter.

»Verdammt«, schrie der Däne und fingerte hektisch an seiner Waffe. Funktionsfehler. Ladehemmung. Dieser verfluchte Amateur.

»Erik!«, wiederholte Hoffmann und richtete die Waffe auf seinen Schwager.

Der Vater streckte die Arme nach seiner Tochter

aus. Fuhr sich mit der Zunge über die Lippen. »Bertine ...«

Hoffmann drückte ab. Der Mann taumelte nach hinten. Hoffmann musste ihn in den Bauch getroffen haben.

»Raus mit euch, sonst erschieße ich das Mädchen!«, brüllte Hoffmann.

Neben mir hörte ich schweren Atem. Es war Klein. Er hatte sich aufgerichtet und die abgesägte Flinte auf Hoffmann gerichtet. Aber der Tisch und der Sarg von Hoffmann junior waren im Weg, so dass Klein einen Schritt nach vorn machen musste, um freie Schussbahn zu haben.

»Weg! Sonst erschieße ich sie!« Hoffmanns Stimme überschlug sich.

Die Flinte zeigte nach unten, ein Winkel von fünfundvierzig Grad. Klein aber lehnte sich nach hinten, weg von der Waffe, als hätte er Angst, sie könnte vor seinem Gesicht explodieren.

»Nein!«, rief ich. »Klein, nicht!«

Ich sah ihn blinzeln, wie man es tut, wenn man auf den Knall wartet.

»Sir!«, rief ich und versuchte Augenkontakt mit Hoffmann zu bekommen. »Sir! Lassen Sie das Mädchen gehen, bitte!«

Hoffmann starrte mich an, als wäre ich ein kompletter Idiot.

Verdammt, so war das nicht geplant gewesen! Ich schaffte es, noch einen Schritt auf Klein zuzugehen, als der Knall des Schusses in meinen Ohren dröhnte.

Eine Qualmwolke stieg zur Decke auf. Kurzer Lauf, große Streuung.

Die weiße Bluse des Mädchens war rot gepunktet, eine Seite ihres Halses aufgerissen, und das Gesicht von Daniel Hoffmann sah aus, als würde es brennen. Aber beide lebten. Während Hoffmanns Pistole über den Betonboden tanzte, beugte Klein sich über den Sarg und streckte den Arm aus, so dass der Lauf der Flinte auf der Schulter des Mädchens lag und die Mündung Hoffmanns Nase berührte, der sich verzweifelt hinter dem Kind zu verstecken versuchte.

Klein drückte noch einmal ab. Die Schrotladung katapultierte Hoffmanns Gesicht ins Innere seines Schädels.

Klein drehte sich mit wutverzerrtem Gesicht zu mir um. »Ein Stück! War das jetzt ein Stück für dich, du Arsch!«

Ich hätte Klein in den Kopf geschossen, wenn er die Flinte auf mich gerichtet hätte, obwohl ich wusste, dass er nur noch leere Patronenhülsen im Lauf hatte. Dann wandte ich mich wieder Hoffmann zu, sein Kopf war eingesunken wie ein von innen verfaulter Apfel. Er war expediert. Was war schon dabei? Er sollte ohnehin sterben. Wir alle mussten sterben. Aber ich hatte ihn überlebt.

Ich kümmerte mich um das Mädchen, löste Hoffmanns Kaschmirschal und wickelte ihn ihr um den Hals, um die Blutung zu stoppen. Sie starrte mich noch immer mit großen Augen an. Sagte kein Wort. Ich schickte den Dänen zur Treppe, um sicherzugehen, dass niemand kam, während ich der Großmutter zeigte, wie sie die Hand auf das Loch im Hals ihrer Enkelin pressen musste, damit sie nicht so viel Blut verlor. Klein stopfte zwei neue Patronen in sein Höllenwerkzeug, ich legte die Pistole deshalb nicht weg.

Hoffmanns Schwester lag auf den Knien neben ihrem Mann, der sich die Hände auf den Bauch presste und leise und monoton jammerte. Magensäure soll in Wunden höllisch brennen, hatte ich gehört, aber ich ging davon aus, dass er überleben würde. Nur die Kleine … verdammt noch mal, die hatte doch niemandem etwas getan!

»Was machen wir jetzt?«, fragte der Däne.

»Leise sein und warten«, antwortete ich.

Klein schnaubte. »Und worauf? Dass die Bullen kommen?«

»Warten, ob wir draußen ein Auto starten und wegfahren hören«, sagte ich und dachte an den ruhigen, konzentrierten Blick unter der Bärenfellmütze. Ich konnte nur hoffen, dass dieser Mann seinen Auftrag nicht ganz so ernst nahm.

»Der Bestatter hat …«

»Halt den Mund!«

Klein starrte mich an. Der Lauf der Flinte hob sich leicht. Bis er merkte, auf wen ich mit der Pistole zielte.

Nicht so Pine unter dem Tisch.

»Verdammte Scheiße, was für eine verdammte Scheiße …!«

Möglich, dass er tot war und nur sein Mundwerk noch irgendwie weiterlebte. Wie der Körper einer

Schlange. Ich hatte irgendwo gelesen, dass der noch einen Tag lang rumzuckte, wenn man das Tier in der Mitte durchtrennte.

»So eine verdammte Riesenkacke, Kacke, Kacke, verdammte!«

Ich ging neben ihm in die Hocke.

»Oh, verflucht, das tut echt sauuumäßig weh, Olav!«

»Sieht nicht so aus, als müsstest du noch lange leiden, Pine.«

»Nicht! Scheiße! Gibst du mir die Kippe?«

Ich holte die Zigarette hinter seinem Ohr hervor und steckte sie ihm zwischen die zitternden Lippen. Sie wippte auf und ab, es gelang ihm aber, sie festzuhalten.

»F-f-feuer!«, stammelte er.

»Sorry, ich habe aufgehört.«

»K-k-kluger Mann, du lebst dann länger.«

»Keine Garantie.«

»Nein, logisch, verdammt, eh, du kannst ja morgen vor ein Auto laufen.«

Ich nickte. »Wer steht draußen?«

»Mann, hast du Sch-schweiß auf der Stirn? Zu warm angezogen oder Stress, Olav?«

»Antworte!«

»Und was kriege ich für die Info?«

»Zehn Millionen Kronen steuerfrei. Oder Feuer für deine Zigarette. Deine Entscheidung.«

Pine lachte. Hustete. »Nur der Russe. Aber der ist gut. Berufssoldat oder so was. Weiß nicht, der macht kaum das Maul auf.«

»Waffen?«

»Na klar.«

»Was heißt das? Automatische?«

»Wie sieht das mit dem Feuerzeug aus?«

»Das kommt schon noch, Pine.«

»Mann, sei doch gnädig, ich kack hier ab.« Er hustete Blut auf mein weißes Hemd. »Damit du besser schlafen kannst.«

»Wie du besser geschlafen hast, nachdem du die Taubstumme auf den Strich geschickt hast, um das Geld für ihren Macker einzutreiben.«

Pine sah mich blinzelnd an. Sein Blick war seltsam klar, als hätte sich ein Schleier gelüftet.

»Ach, die«, sagte er leise.

»Ja, die«, erwiderte ich.

»Das hast du aber gründlich missverstanden, Olav.«

»So, habe ich das?«

»Ja, die ist nämlich zu mir gekommen. *Sie* wollte seine Schulden zahlen.«

»Sie?«

Pine nickte. Es sah fast so aus, als würde er sich wieder berappeln. »Eigentlich hatte ich schon abgelehnt, ich meine, sonderlich hübsch war sie ja nicht, und wer zahlt schon für ein Mädchen, das nicht hören kann, was man haben will? Ich hab bloß zugestimmt, weil sie so hartnäckig darauf bestanden hat. Aber klar, sobald sie seine Schulden übernommen hat, waren das ihre Schulden. Ist doch logisch, oder?«

Ich antwortete nicht. Hatte keine Antwort. Es war verrückt. Jemand hatte die Geschichte umgeschrieben. Meine war besser gewesen.

»Däne!«, rief ich in Richtung Tür. »Hast du Feuer?«

Er nahm die Pistole in die linke Hand, ohne die Treppe aus den Augen zu lassen, und fischte mit der rechten ein Feuerzeug aus der Tasche. Wir sind schon seltsame Gewohnheitstiere. Dann warf er es mir zu. Ich fing es auf, klickte es an und hielt die Flamme an die Zigarette. Wartete, dass das Feuer in den Tabak gezogen wurde, aber die Flamme stand ruhig vor der Zigarette. Ich ließ sie noch einen Moment brennen, dann hob ich den Daumen. Die Flamme erlosch.

Ich sah mich um. Blut und Stöhnen. Alle waren mit sich beschäftigt. Außer Klein, der war mit mir beschäftigt. Ich begegnete seinem Blick.

»Du gehst vor«, sagte ich.

»Hä?«

»Du gehst vor mir die Treppe hoch.«

»Warum das denn?«

»Hast du die Flinte oder ich?«

»Du kannst sie gerne nehmen.«

»Darum geht es nicht, du machst, was ich sage. Ich will dich nicht hinter mir haben.«

»Was soll das denn? Vertraust du mir etwa nicht?«

»Ich vertraue dir so sehr, dass ich dich gerne vor mir hätte.« Ich deutete mit der Pistole auf ihn. »Däne, mach mal Platz, Klein will rauf.«

Klein sah mich lange an. »Das zahle ich dir heim, Johansen.«

Er kickte sich die Schuhe von den Füßen, ging schnell zur Treppe und schlich sich gebeugt durchs Halbdunkel nach oben.

Wir blickten ihm nach. Sahen, wie er stehen blieb und sich so weit reckte, dass er den Kopf über den Rand der Treppe bekam, bevor er sich wieder duckte. Anscheinend sah er niemanden, denn er richtete sich wieder auf und ging weiter, die Flinte hielt er mit beiden Händen vor der Brust fest. Er sah aus wie einer von der Heilsarmee mit Gitarre. Oben blieb er stehen, drehte sich zu uns um und winkte.

Ich hielt den Dänen zurück.

»Warte noch einen Moment«, flüsterte ich und begann zu zählen.

Die Salve kam bei eineinhalb.

Sie erwischte Klein und warf ihn über den Rand der Treppe runter.

Er schlug auf halbem Weg auf den Stufen auf und rutschte auf uns zu. Tot. Sein Körper, ein Stück Schlachtvieh, folgte der Schwerkraft.

»Das war knapp ...«, flüsterte der Däne und starrte auf den Leichnam vor seinen Füßen.

»Hallo!«, rief ich. Der Ruf hallte zwischen den Wänden wider, als wäre er beantwortet worden. »Your boss is dead! Job is over! Go back to Russia! No one is gonna pay for any more work here today!«

Ich wartete. Flüsterte dem Dänen zu, dass er nach Pines Autoschlüsseln suchen solle. Er brachte sie, und ich warf sie über die Treppe nach oben.

»We are not coming out until we hear the car leaving!«, rief ich.

Nach kurzem Zögern kam eine Antwort in gebrochenem Englisch. »I don't know boss is dead.

Maybe prisoner. Give me boss, I will leave and you will live.«

»He is very dead! Come down and see!«

»Ha, ha. I want my boss come with me.«

Ich sah zu dem Dänen.

»Was machen wir jetzt?«, flüsterte er, es klang langsam wie ein Refrain.

»Wir schneiden ihm den Kopf ab«, sagte ich.

»Was?«

»Los, schneid Hoffmann den Kopf ab. Pine hat ein Messer mit Sägezähnen.«

»Äh ... welchem Hoffmann?«

War er wirklich so blöd?

»Dem Alten. Sein Kopf ist unser Ausgangsticket, verstanden?«

Nee, er verstand nichts, tat aber trotzdem, was ich ihm gesagt hatte.

Ich stand in der Türöffnung und behielt die Treppe im Blick. Von unten waren leise Stimmen zu hören, als hätten sich alle wieder beruhigt. Ich wagte das Risiko, in mich hineinzufühlen. Wie immer in Stresssituationen dachte ich an seltsame, nutzlose Dinge. Zum Beispiel, dass das Innere von Kleins Anzugjacke sich komplett nach außen gekehrt hatte, so dass ich das Etikett des Kostümverleihs sehen konnte, bei dem er sie sich geliehen hatte. Zerschossen, wie sie war, würden sie die sicher nicht zurücknehmen. Oder dass die Logistik für die Leichen von Hoffmann, Pine und Klein eigentlich perfekt war. Sie waren schon in der Kirche und hatten jeder einen leeren Sarg. Und dass ich für Corina einen

Fensterplatz vor der Tragfläche gebucht hatte, damit sie schon beim Landeanflug Paris sehen konnte. Ein paar nützliche Gedanken waren aber auch dabei. Was machte der junge Mann jetzt mit unserem Wagen? Wartete er noch immer unterhalb der Kirche auf uns? Und war ihm aufgefallen, dass die letzten Schüsse aus einer automatischen Waffe abgefeuert worden waren, die nicht zu unserer Ausrüstung gehörte? Es ist immer ein schlechtes Zeichen, wenn der letzte Schuss aus der Waffe des Feindes kommt. Er hatte einen klaren Befehl, aber würde er auch einen klaren Kopf bewahren? Hatten andere Leute in der Nachbarschaft die Schüsse gehört? Und wo steckte der Mann vom Bestattungsunternehmen? Die Sache hatte viel zu lange gedauert. Wie viel Zeit blieb noch, bis wir wirklich draußen sein *mussten*?

Der Däne trat in die Türöffnung. Sein Gesicht war blass. Aber nicht so blass wie das Gesicht, das er an den Haaren in der Hand hielt. Es war der richtige Hoffmann, und ich signalisierte ihm, dass er den Kopf nach oben werfen sollte.

Die Haare ein paarmal um die Hand gewickelt, nahm der Däne einen Schritt Anlauf und schwang den Arm wie beim Bowlen. Der Kopf segelte mit flatternden Haaren nach oben, stieg aber zu steil hoch und stieß an die Decke, klatschte danach auf die Treppe und holperte mit leisen trockenen Knacklauten wieder zu uns zurück, wie wenn man mit einem Löffel gegen ein hartgekochtes Ei schlägt.

»Ich muss erst den richtigen Winkel finden«, murmelte der Däne, packte den Kopf erneut, ging in Stellung, schloss konzentriert die Augen und atmete ein paarmal tief ein und aus. Ich war in diesem Moment wirklich mit den Nerven fertig und hätte jeden Moment laut loslachen können. Er öffnete die Augen wieder, trat zwei Schritte vor und schwang den Arm. Ließ los. Vier Komma fünf Kilo Menschenschädel flogen in einem sauberen Bogen über die Treppe nach oben, landeten auf dem Boden und kullerten über den Flur weiter.

Der Däne wandte sich mit einem triumphierenden Blick zu mir um, sagte aber nichts.

Wir warteten. Und warteten.

Dann hörten wir, dass ein Motor angelassen wurde und aufheulte. Jemand schaltete hart. Rückwärtsgang. Erneutes Aufheulen. Zu hohe Drehzahl und erster Gang. Jemand, der es nicht gewohnt war zu fahren, fuhr weg.

Der Däne blies die Wangen auf und ließ die Luft wieder entweichen, während er die rechte Hand schüttelte, als hätte er etwas Heißes angefasst.

Ich lauschte. Hörte ganz genau hin. Und spürte es, bevor ich es wirklich hörte. Das Geräusch von Polizeisirenen. In der kalten Luft wurde es weit getragen. Es konnte noch eine Weile dauern, bis sie hier waren.

Ich sah mich um. Das Mädchen saß auf dem Schoß seiner Großmutter. Es war unmöglich zu sagen, ob sie noch atmete, aber nach ihrer Gesichtsfarbe zu schließen, hatte sie keinen Tropfen Blut mehr in sich. Aber daran durfte ich jetzt nicht denken. Bevor ich ging, erfasste ich noch einmal mit den Augen den ganzen Raum. Die Familie, das Blut, der Tod. Es erinnerte mich an ein Gemälde. Drei Hyänen und ein Zebra mit aufgerissenem Bauch.

KAPITEL 19

Es stimmt nicht, dass ich nicht mehr weiß, was ich in
der U-Bahn zu ihr gesagt habe. Allerdings bin ich mir
gar nicht sicher, ob ich es wirklich gesagt habe, vielleicht erinnere ich mich deshalb nicht. Ich weiß nur
noch, dass ich es vorhatte. Die Worte weiß ich aber
noch ganz genau. Ich habe ihr gesagt, dass ich sie liebe. Nur um zu sehen, wie es sich anfühlt, so etwas zu
jemandem zu sagen. Oder auf ein Ziel zu schießen,
das die Form eines menschlichen Torsos hat. Das ist
natürlich nicht dasselbe, wie wenn man auf einen richtigen Menschen schießt, aber trotzdem anders als auf
normale, runde Zielscheiben. Ich meinte das ja nicht
ernst, so wie ich die Torsoleute auf den Zielscheiben
ja auch nicht erschießen will. Es war ein Training. Ich
wollte mich mit den Worten vertraut machen. Vielleicht würde ich eines Tages ja doch noch eine Frau
treffen, die meine Liebe erwiderte, und dann durfte
ich nicht ins Stocken geraten. Noch hatte ich Corina
nicht gesagt, dass ich sie liebe. Jedenfalls nicht laut,
von Herzen, ohne Rückzugsmöglichkeit, ohne Ab-
sicherung, so, dass der Nachhall der Worte den Raum

füllt und die Stille aufbläst, bis die Wände zurückgedrängt werden. Ich hatte es nur zu Maria gesagt, an der Stelle, an der die Schienen sich begegnen. Oder trennen. Beim Gedanken, dass ich diese Worte bald zu Corina sagen würde, fühlte mein Herz sich an, als wollte es zerspringen. Sollte ich es ihr an diesem Abend sagen? Auf dem Flug nach Paris? Oder später im Hotel? Vielleicht beim Essen? Ja, das wäre der perfekte Moment.

Genau daran dachte ich, als ich mit dem Dänen aus der Kirche trat und die rauhe, kalte Winterluft einatmete. Sie schmeckte nach Meersalz. Das war immer so, bis das Eis sich über den Fjord legte. Die Polizeisirenen waren noch immer nicht laut, aber deutlich hörbar, das Heulen schwoll an und ab wie ein schlecht eingestellter Radiosender. Noch waren sie so weit entfernt, dass unmöglich auszumachen war, aus welcher Richtung sie sich näherten.

Auf der Straße unterhalb des Friedhofs entdeckte ich die Scheinwerfer des schwarzen Lieferwagens.

Ich ging mit raschen Schritten und leicht gebeugten Knien über den eisigen Boden. So etwas lernt man in Norwegen schon als kleines Kind. In Dänemark vielleicht erst später, dort gibt es nicht so oft Schnee und Eis. Auf jeden Fall blieb der Däne zurück. Aber was weiß denn ich, vielleicht kannte der Däne sich viel besser mit Eis aus als ich. Wir wissen so wenig übereinander. Wir sehen nur ein rundes, nettes Gesicht, ein offenes Lächeln und hören freundlich klingende dänische Worte, die wir nicht immer verstehen, die uns aber einlullen und die Nerven beruhigen, so dass wir an die kleine Meerjungfrau denken, an dänisches Bier, an dänische Sonne und an das geruhsame Landleben am Belt. Eine angenehme Vorstellung, bei der wir instinktiv den Schutzschild sinken lassen. Aber woher sollte *ich* mehr wissen? Vielleicht hatte der Däne mehr Leute expediert, als ich das jemals tun würde. Und warum kam mir dieser Gedanke ausgerechnet jetzt? Nun, vielleicht weil es sich plötzlich so anfühlte, als wartete die Zeit wie eine zum Bersten gespannte Feder wieder auf eine neue, perfekte Sekunde.

Ich wollte mich umdrehen, kam aber nicht mehr dazu.

Ich kann ihm keine Vorwürfe machen. Ich nehme, wie gesagt, selbst alle möglichen Umwege in Kauf, um in eine Position zu gelangen, aus der ich einem bewaffneten Stück in den Rücken schießen kann.

Der Knall hallte über den Friedhof.

Ich spürte die erste Kugel wie einen Druck auf dem Rücken, die nächste wie einen Biss in den Oberschenkel. Er hatte mich ziemlich weit unten getroffen, genau wie ich Benjamin. Ich fiel nach vorn. Schlug mit dem Kinn aufs Eis. Drehte mich um und blickte in die Mündung seiner Waffe.

»Tut mir wirklich leid, Olav«, sagte der Däne, und ich hörte, dass er es ernst meinte. »Nimm es nicht persönlich.« Er hatte extra tief gezielt, um mir das sagen zu können.

»Klug vom Fischer«, flüsterte ich. »Er wusste, dass

155

ich Klein nicht aus den Augen lassen würde, und hat deshalb dir den Auftrag gegeben.«

»Das ist wohl so, Olav.«

»Aber warum müsst ihr mich expedieren?«

Der Däne zuckte mit den Schultern. Die Polizeisirenen waren näher gekommen.

»Eigentlich klar«, sagte ich. »Die Chefs wollen keine lebenden Zeugen, keine Leute, die wirklich etwas gegen sie in der Hand haben. Daran solltest auch du denken, Däne. Man sollte wissen, wann man abhauen muss.«

»Das hat damit nichts zu tun, Olav.«

»Verstehe. Der Fischer ist der Chef, und Chefs haben Angst vor Menschen, die ihre Chefs expedieren. Sie fürchten, als Nächster an der Reihe zu sein.«

»Darum geht es auch nicht, Olav.«

»Verdammt, Mann, siehst du nicht, dass ich verblute, Däne, lassen wir die Ratespielchen!«

Der Däne räusperte sich. »Der Fischer hat gesagt, dass man schon ein verdammt abgebrühter Geschäftsmann sein muss, um nicht wütend auf jemanden zu sein, der drei der eigenen Leute umgebracht hat.«

Er zielte auf mich, der Finger krümmte sich um den Abzug.

»Bist du sicher, dass sich nicht wieder eine Kugel im Magazin verklemmt hat?«, flüsterte ich.

Er nickte.

»Ein letzter Wunsch zu Weihnachten, Däne. Nicht ins Gesicht. Bitte.«

Ich sah, dass er zögerte. Dann nickte er wieder.

Senkte den Lauf der Pistole etwas. Ich schloss die Augen. Hörte die Schüsse. Spürte die Projektile in mich einschlagen. Zwei Bleikugeln. Genau dort, wo bei normalen Menschen das Herz ist.

KAPITEL 20

»Meine Frau hat das gemacht«, hatte er gesagt, »für die Aufführung.«

Ineinander verhakte Eisenringe. Viele Tausende? Ich war, wie gesagt, der Meinung, dass ich mit dieser Witwe ein gutes Geschäft gemacht hatte. Ein Kettenhemd. Pine hatte richtig beobachtet, ich war verschwitzt, aber kein Wunder, schließlich sah ich unter Anzug und Hemd wie ein heiliger König aus.

Das Kettenhemd hatte die Schüsse in Rücken und Brust gut abgefangen, nicht aber den in den Oberschenkel.

Ich spürte, wie das Blut aus mir herausströmte, als ich die Rücklichter des schwarzen Lieferwagens in der Dunkelheit verschwinden sah und auf die Beine zu kommen versuchte. Mir wurde schwarz vor Augen, aber ich schaffte es, mich aufzurichten und in Richtung des Volvos zu hinken, der vor der Kirchentür parkte. Das Heulen der Sirenen kam mit jeder Sekunde näher. Mindestens ein Krankenwagen war darunter. Der Bestatter hatte die Zeichen richtig gedeutet, als er Alarm geschlagen hatte. Vielleicht konnten sie das Mädchen ja doch noch retten. Vielleicht auch nicht. Vielleicht konnte ich mich retten, dachte ich, als ich die Tür des Volvos aufriss. Vielleicht auch nicht.

Was Hoffmanns Schwager gesagt hatte, war richtig, die Schlüssel steckten tatsächlich noch im Zündschloss.

Ich schob mich hinter das Lenkrad und drehte den Schlüssel um. Der Starter stotterte kurz und verstummte. Verdammte Scheiße! Ich versuchte es noch einmal. Erneutes Stottern. Jetzt spring schon an! Wenn man hier oben in dieser Schneehölle Autos produziert, dann müssen sie doch bei Kälte anspringen! Ich hämmerte mit der Faust auf das Lenkrad. Sah die Blaulichter wie das Nordlicht über den Winterhimmel flackern.

Da! Ich gab Gas. Ließ die Kupplung kommen und schleuderte durch den Schnee, bis die Spikes auf dem Eis Halt fanden und mich in Richtung Kirchentür katapultierten.

Ich fuhr ein paar hundert Meter durch das Villenviertel nach unten, drehte dann um und fuhr langsam zurück in Richtung Kirche. Kurz darauf sah ich im Rückspiegel die Blaulichter. Ich machte ihnen brav in einer Villeneinfahrt Platz und ließ sie vorbeifahren.

Zwei Einsatzfahrzeuge der Polizei und ein Rettungswagen, aber mindestens ein weiterer Polizeiwagen näherten sich. Ich wartete und stellte nun fest, dass ich nicht zum ersten Mal hier war. Es war zum Mäusemelken. In dieser Straße, vor exakt diesem Haus, hatte ich Benjamin Hoffmann expediert.

Im Wohnzimmerfenster hing Weihnachtsdeko, und

auf dem Fensterbrett standen Plastikröhren, die echte Kerzen vortäuschten. Ein Schein von heiler Familienwelt fiel auf den Schneemann im Garten. Der Junge hatte es also geschafft. Vielleicht mit Hilfe von etwas Wasser und seinem Vater. Ihr Schneemann war jedenfalls richtig groß geworden, ausgestattet mit Zylinder, einem sinnlosen Steingrinsen und Stockarmen, die so aussahen, als wollten sie diese ganze, verkommene Welt und all das Verrückte in ihr umarmen.

Der Polizeiwagen raste vorbei, und ich setzte aus der Einfahrt heraus und fuhr weiter.

Zum Glück waren keine anderen Wagen unterwegs. Niemand, der den Volvo sah, der krampfhaft normal wirken sollte, dabei aber – ohne dass man genau sagen konnte, wieso – irgendwie anders durch den Osloer Vorweihnachtsabend fuhr als all die übrigen Autos.

Ich parkte direkt hinter der Telefonzelle und schaltete den Motor aus. Hosenbein und Fahrersitz waren blutgetränkt. Es fühlte sich irgendwie so an, als hätte ich ein falsches Herz im Bein, das schwarzes Tierblut herauspumpte, Opferblut, Satansblut.

Corina riss vor Entsetzen die großen blauen Augen auf, als ich die Wohnungstür öffnete und schwankend in der Tür stehen blieb.

»Olav! Mein Gott, was ist passiert?«

»Es ist erledigt.« Ich warf die Tür hinter mir zu.

»Ist … ist er tot?«

»Ja.«

Mit einem Mal begann der Raum sich zu drehen.

161

Hatte ich viel Blut verloren? Zu viel? Zwei Liter? Irgendwo hatte ich gelesen, dass wir fünf, sechs Liter Blut haben und bei einem Blutverlust von rund zwanzig Prozent ohnmächtig werden. Was gleichbedeutend war mit … verdammt, auf jeden Fall weniger als zwei Liter.

Ihre Tasche stand im Wohnzimmer auf dem Boden. Sie hatte bereits für Paris gepackt, die gleichen Sachen, die sie aus der Wohnung ihres Mannes mitgenommen hatte. Ihres früheren Mannes. Ich hatte bestimmt viel zu viel eingepackt. Hatte es nie weiter als bis nach Schweden geschafft. Mit meiner Mutter, in dem Sommer, in dem ich vierzehn geworden war. Mit dem Auto unseres Nachbarn. In Göteborg hatte er mich, kurz bevor wir in den Liseberg-Freizeitpark gingen, gefragt, ob es okay wäre, wenn er es bei meiner Mutter versuchte. Tags darauf fuhren Mutter und ich mit dem Zug nach Hause. Mutter tätschelte mir die Wange und sagte, ich sei ihr Ritter, der einzige auf der ganzen Welt. Irgendwie hatte ich das Gefühl, dass in ihrer Stimme ein falscher Ton mitschwang, aber das lag sicher daran, dass ich so verwirrt über diese ganze kranke Erwachsenenwelt war. Außerdem habe ich ja schon gesagt, dass ich nicht sehr musikalisch bin, ich konnte noch nie die sauberen von den unsauberen Tönen unterscheiden.

»Was ist das da an deiner Hose, Olav? Ist das … Blut? Mein Gott, du bist verwundet! Was ist passiert?« Sie sah derart verwirrt und hilflos aus, dass ich schon lachen musste. Ungläubig, fast wütend starrte sie mich an. »Was ist? Findest du es etwa zum Lachen, dass du wie ein Schwein blutest? Wo bist du getroffen worden?«

»Nur ins Bein.«

»Nur? Wenn die Pulsader getroffen wurde, kannst du verbluten, Olav! Zieh die Hose aus und setz dich in der Küche auf den Stuhl.«

Sie legte das Cape ab, das sie bei meinem Kommen getragen hatte, und ging ins Bad.

Kam mit Verbandszeug, Pflaster und Jod wieder zurück.

»Ich muss das nähen«, sagte sie.

»Wenn du meinst«, antwortete ich, lehnte den Kopf an die Wand und schloss die Augen.

Sie reinigte die Wunde und versuchte, die Blutung zu stillen. Kommentierte, was sie tat, und dass sie mich nur provisorisch zusammenflicke. Die Kugel sei da noch irgendwo drin, daran könne sie jetzt aber nichts ändern.

»Wo hast du das gelernt?«, fragte ich.

»Halt den Mund und bleib still sitzen, sonst reißen die Stiche aus.«

»An dir ist ja eine richtige Krankenschwester verlorengegangen.«

»Du bist nicht der erste Mann mit einer Kugel im Körper.«

»Na dann«, seufzte ich, fragte aber nicht weiter. Wir hatten es ja nicht eilig, würden für diese Geschichten noch viel Zeit haben. Ich öffnete die Augen und starrte auf den Haaransatz an ihrem Hinterkopf, während sie vor mir kniete. Ich sog ihren Duft ein. Er war irgendwie anders, das köstliche Aroma, das ich kannte, wenn ich sie im Arm hielt, sie nackt und erregt war oder verschwitzt auf meinem Arm lag, war mit etwas vermischt. Nicht viel, nur ein Hauch von Ammoniak, kaum wahrnehmbar, aber doch ... da. Aber bestimmt kam der Geruch nur von meiner Wunde, von der Entzündung, ich begann zu verfaulen.

»So«, sagte sie und biss den Faden durch.

Ich starrte sie an. Die Bluse war ihr über eine Schulter gerutscht, am Hals war ein blauer Fleck zu sehen. Den hatte ich nicht bemerkt, er musste noch von Benjamin Hoffmann stammen. Ich wollte etwas zu ihr sagen, ihr versichern, dass so etwas nie wieder passieren würde, dass niemals wieder jemand sie so hart anfassen würde. Aber der Zeitpunkt war falsch. Wird man von einer Frau zusammengeflickt, damit man nicht verblutet, sollte man vielleicht nicht gerade sagen, dass sie bei einem in Sicherheit ist.

Sie wischte das Blut mit einem Handtuch weg, das sie in warmes Wasser getaucht hatte, und wickelte einen Verband um mein Bein.

»Ich glaube, du hast Fieber, Olav. Du solltest ins Bett gehen.«

Sie zog mir Jacke und Hemd aus. Starrte auf das Kettenhemd. »Was ist denn das?«

»Eisen.«

Sie half mir, das Kettenhemd auszuziehen, und fuhr mit dem Finger über die blauen Flecken, die mir die Kugeln des Dänen verpasst hatten. Liebevoll. Fasziniert. Sie küsste sie. Und als ich im Bett lag, der Schüttelfrost kam und sie die Decke um mich herum feststeckte, war es genau wie damals in Mamas Bett. Es tat fast überhaupt nicht mehr weh. Und ich hatte das Gefühl, endlich alles loslassen zu können, als müsste ich nichts mehr entscheiden. Wie ein Boot auf dem Wasser. Der Fluss bestimmte die Reiseroute. Das Schicksal, das Ziel waren vorgegeben. Der Rest war die Reise, die Zeit und all das, was man unterwegs am Ufer des Flusses erlebt. Das Leben ist einfach, wenn man nur krank genug ist.

Ich glitt in die Welt der Träume.

Sie trug mich über der Schulter, das Wasser platschte unter ihren Füßen. Es war dunkel und stank nach Kanalisation, infizierten Wunden, Ammoniak und Parfüm. Auf den Straßen über uns hörte ich Schüsse und Schreie, Streifen von Licht fielen durch die Kanaldeckel. Sie aber ließ sich nicht aufhalten, war mutig und stark. Stark genug für uns beide. Sie wusste, wie wir hier wieder rauskamen, denn sie war hier schon einmal gewesen. Ja, so ging die Geschichte. An einer Kanalabzweigung blieb sie stehen, legte mich auf den Boden, sagte, sie müsse den weiteren Weg erkunden und werde bald wieder zurück sein. Ich lag auf dem Rücken, hörte die Ratten um mich herumlaufen, während ich durch die Ritzen der Kanaldeckel zum Mond emporsah. Tropfen hingen an dem Gitter über mir, zitterten blinkend im Mondlicht. Rote, glänzende, fette Tropfen. Sie lösten sich und rasten auf mich zu. Trafen mich auf der Brust. Schlugen durch das Kettenhemd in mein Herz. Warm, kalt. Warm, kalt. Der Geruch …

Ich schlug die Augen auf.

Sagte ihren Namen. Niemand antwortete.

»Corina?«

Ich richtete mich im Bett auf. Mein Schenkel pochte und fühlte sich an, als würde er gleich platzen. Mühsam schob ich die Beine über die Bettkante und schaltete das Licht ein. Ich erschrak. Mein Schenkel war so angeschwollen, dass mir fast übel wurde. Es sah aus, als hätte die Wunde weitergeblutet und sich alles Blut unter der Haut und der Bandage angesammelt.

Das Mondlicht fiel auf ihre Tasche. Sie stand mitten im Wohnzimmer. Aber ihr Cape hing nicht mehr über dem Stuhl. Ich stand auf und hinkte in die Küche. Zog die Schublade heraus und hob den Besteckkasten an.

Die Blätter waren noch da. Im Umschlag, unangetastet.

Ich nahm den Umschlag heraus und trat ans Fenster. Das Thermometer auf der Außenseite der Scheibe zeigte, dass die Temperaturen noch weiter gefallen waren.

Ich sah nach unten.

Da war sie. Sie war nur runtergegangen.

Sie stand in der Telefonzelle, den gebeugten Rücken zur Straße gewandt, und presste den Hörer ans Ohr.

Ich winkte, dabei wusste ich, dass sie mich nicht sehen konnte.

Verdammt, das Bein tat wahnsinnig weh!

Dann legte sie auf. Ich trat einen Schritt zurück, um nicht im Licht zu stehen. Sie trat aus der Telefonzelle, und ich sah, wie sie zu mir hochblickte. Ich stand still da. Sie auch. Ein paar Schneeflocken wirbelten durch die Luft. Sie lief los. Mit gestreckten Füßen, den einen dicht vor den anderen setzend. Wie eine Seiltänzerin. Sie überquerte die Straße. Kam zu mir herüber. Zurück blieben ihre Spuren im Schnee. Katzenpfoten. Die Hinterpfoten in den Abdrücken der Vorderpfoten. Im schrägen Licht der Straßenlaternen warfen ihre Fußabdrücke kleine Schatten. Wie wenig es brauchte. Wie wenig ...

Als sie leise in die Wohnung zurückkam, lag ich wieder mit geschlossenen Augen im Bett.

Sie legte das Cape ab. Ich hatte gehofft, dass sie sich ganz ausziehen und zu mir ins Bett kommen würde. Mich eine Weile halten würde. Einfach nur festhalten. Auch Kleinvieh macht Mist. Denn ich wusste jetzt, dass sie mich nicht über die Schulter legen und durch die Kanalisation tragen würde. Sie würde mich nicht retten, und wir würden auch nicht nach Paris fliegen.

Statt zu mir ins Bett zu kommen, setzte sie sich im Dunkeln auf einen Stuhl.

Wachte.

Wartete.

»Dauert es lange, bis er kommt?«, fragte ich.

Ich sah, wie sie zusammenzuckte. »Du bist wach.«

Ich wiederholte die Frage.

»Von wem redest du, Olav?«

»Vom Fischer.«

»Du hast Fieber. Du solltest versuchen zu schlafen.«

»Du hast ihn doch unten aus der Telefonzelle angerufen.«

»Olav …«

»Ich will nur wissen, wie viel Zeit mir noch bleibt.«

Sie hatte sich vorgebeugt, ihr Gesicht lag im Dunkeln. Als sie wieder zu reden begann, klang ihre Stimme verändert. Fremd. Härter. Aber in meinen Ohren klangen die Töne trotzdem reiner.

»Zwanzig Minuten vielleicht.«

»Okay.«

»Woher wusstest du …?«

»Ammoniak. Rochen.«

»Was?«

»Der Ammoniakgeruch, er bleibt an der Haut hängen, wenn du in Kontakt mit Rochen kommst, besonders wenn die noch nicht ausgenommen und küchenfertig sind. Das soll an der Harnsäure liegen, die im Fischfleisch abgelagert wird. Hab ich irgendwo gelesen. Genau wie bei Haien.«

Corina sah mich mit abwesendem Lächeln an. »Verstehe.«

Noch eine Pause.

»Olav?«

»Ja.«

»Das ist nicht …«

»Persönlich?«

»Genau.«

Die Stiche brannten. Der Gestank von Entzündung

und Wundwasser stieg mir in die Nase. Ich legte die Hand auf den Oberschenkel. Der Verband war durchnässt. Und der Druck war noch immer hoch, das Blut wollte raus.

»Was ist es dann?«, fragte ich.

Sie seufzte. »Ist das wichtig?«

»Ich mag Geschichten«, sagte ich. »Zwanzig Minuten habe ich noch.«

»Es geht nicht um dich, es geht um mich.«

»Und wer bist du?«

»Ja. Wer bin ich?«

»Daniel Hoffmann war sterbenskrank. Und du wusstest das, und du wusstest auch, dass Benjamin Hoffmann die Leitung übernehmen würde.«

Sie zuckte mit den Schultern. »Ertappt. Du hast mich.«

»Du bist also jemand, der ohne schlechtes Gewissen diejenigen betrügt, die er betrügen muss, um Geld und Macht zu folgen?«

Corina erhob sich mit einer abrupten Bewegung, trat ans Fenster und sah nach unten auf die Straße. Zündete sich eine Zigarette an.

»Abgesehen vom schlechten Gewissen, stimmt das wohl«, sagte sie.

Ich lauschte. Es war still. Mir wurde bewusst, dass es nach Mitternacht sein musste. Heiligabend.

»Hast du ihn einfach angerufen?«, fragte ich.

»Ich bin in seinem Laden gewesen.«

»Und er hat dich empfangen?«

Ich sah die Silhouette ihrer geschürzten Lippen, als

sie den Rauch ausatmete. »Er ist ein Mann. Wie alle Männer.«

Ich dachte an die Schatten hinter der Milchglasscheibe. Den blauen Fleck an ihrem Hals. Er war frisch. Wie blind konnte man eigentlich sein? Die Schläge. Die Unterwerfung. Die Erniedrigung. Sie wollte das so.

»Der Fischer ist verheiratet. Was hat er dir angeboten?«

Sie zuckte mit den Schultern. »Nichts. Vorläufig. Aber er wird es schon noch tun.«

Sie hatte recht. Schönheit stach alles aus.

»Als ich eben nach Hause kam … Du warst nicht schockiert über meine Verletzung, sondern darüber, dass ich noch am Leben war?«

»Beides. Du darfst nicht glauben, dass ich nichts für dich empfinde, Olav. Du warst ein guter Liebhaber.« Sie lachte kurz. »Anfangs dachte ich, du hättest das gar nicht drauf.«

»Was?«

Sie lächelte nur. Zog fest an ihrer Zigarette. Die Glut leuchtete im Halbdunkel vor dem Fenster auf. Wenn jetzt jemand von draußen nach oben zum Fenster sah, stellte er sich vielleicht heile Welt, Familienglück, Weihnachtsstimmung vor. Oder dass sie dort oben all das hatten, was man sich nur wünschen konnte. Dass sie da so lebten, wie man leben *sollte*. Aber was weiß ich denn schon? Ich hätte mir das jedenfalls vorgestellt.

»Was draufhatte?«, wiederholte ich.

»Na, mich zu beherrschen, mein König zu sein.«

»Dein König?«

»Ja«, sagte sie lachend. »Zwischenzeitlich dachte ich sogar, ich müsste dich bremsen.«

»Wovon redest du?«

»Davon«, sagte sie und streifte ihre Bluse über die Schulter nach unten und zeigte auf den Bluterguss.

»Der ist nicht von mir.«

Ihre Hand fror auf dem Weg zu ihrem Mund ein, und sie sah mich ungläubig an.

»*Was?* Glaubst du etwa, ich habe das selbst gemacht?«

»Der ist nicht von mir, sage ich!«

Sie lachte leise. »Komm schon, Olav. Dafür musst du dich nicht schämen.«

»Ich schlage keine Frauen!«

»Stimmt, was das angeht, warst du nur schwer zu überzeugen. Aber du würgst gern. Nachdem ich dich darauf gebracht habe, hat es dir richtig *Spaß* gemacht.«

»Nein!« Ich presste mir die Hände auf die Ohren. Sah, dass ihr Mund sich bewegte, hörte aber nichts. Da war nichts zu hören. Denn das war nicht meine Geschichte. Meine Geschichte ging ganz anders.

Ihr Mund verformte sich. Wie eine Seeanemone. Ich habe mal gelernt, dass die einen Mund als Anus haben und umgekehrt. Warum redete sie, was wollte sie damit bezwecken? Was wollten die alle? Ich war taubstumm, hatte keinen Apparat mehr, um Schallwellen zu dekodieren, wie normale Leute sie unablässig produzieren. Wellen, die über die Korallen schwappen und dann verschwinden. Ich starrte in eine Welt, die ohne Sinn war, ohne Zusammenhang, die nicht mehr war als das verzweifelte Leben der Leben, die wir zugeteilt bekommen hatten, die zwanghafte Befriedigung jeder noch so kranken Begierde, das Betäuben der Angst vor der Einsamkeit und der Todeskampf, der schlagartig beginnt, wenn wir erkennen, wie vergänglich wir sind. Ich verstand jetzt, was sie meinte. Ist. Das. Alles?

Ich nahm meine Hose vom Stuhl neben dem Bett und zog sie an. Das eine Hosenbein war steif von Blut. Ich schob mich aus dem Bett und zog das Bein beim Gehen nach.

Corina rührte sich nicht.

Ich beugte mich über meine Schuhe und spürte, dass mir übel wurde. Trotzdem gelang es mir, die Schuhe anzuziehen. Der Mantel. Ich hatte den Pass und die Tickets nach Paris in der Innentasche.

»Du wirst nicht weit kommen«, sagte sie.

Die Schlüssel des Volvos in der Hosentasche.

»Deine Wunde ist aufgeplatzt. Sieh dich doch mal an.«

Ich öffnete die Tür und trat auf den Treppenabsatz hinaus. Packte das Geländer und stützte mich mit beiden Unterarmen ab, während ich mich nach unten kämpfte und an das kleine, geile Spinnenmännchen dachte, das etwas zu spät erkannt hatte, dass die Besuchszeit vorüber war.

Unten schmatzte das Blut bereits in meinem Schuh.

Ich ging zum Auto. Polizeisirenen. Sie waren die

ganze Zeit über zu hören gewesen. Wie weit entferntes Wolfsgeheul auf den schneebedeckten Hügeln rund um Oslo. Ansteigend, abfallend, immer dem Geruch des Blutes nachjagend.

Diesmal sprang der Volvo sofort an.

Ich wusste, wohin ich musste, aber irgendwie verloren die Straßen Richtung und Struktur, wurden zu weich treibenden Feuerquallen, denen ich in alle Richtungen zu folgen hatte. Es war schwer, sich in dieser neuen Gummistadt zurechtzufinden, in der nichts mehr stillhalten wollte. Ich sah ein rotes Licht und bremste. Versuchte mich zu orientieren. Musste eingeschlafen sein, denn ich schrak vom Hupen des Autos hinter mir auf und bemerkte, dass es längst grün geworden war. Gab Gas. Wo war ich? War das noch immer Oslo?

Meine Mutter hat nie ein Wort über den Mord an meinem Vater verloren. Als wäre das nie passiert. Für mich war das okay. Bis sie dann eines Tages, vier oder fünf Jahre später, als wir zusammen am Küchentisch saßen, fragte: »Was glaubst du, wann kommt er wieder?«

»Wer?«

»Dein Vater.« Sie schaute mit glasigem Blick durch mich hindurch. »Er ist jetzt schon so lange weg. Wo er dieses Mal wohl gewesen ist?«

»Er kommt nicht zurück, Mama.«

»Natürlich tut er das, er ist immer wieder zurückgekommen.« Sie hob ihr Glas. »Er liebt mich, weißt du. Und dich auch.«

»Mama, du hast doch mitgeholfen, ihn …«

Sie knallte das Glas so hart auf den Tisch, dass der Gin überschwappte.

»So«, sagte sie ohne jedes Lallen und sah mich an. »Nur eine grausame Person würde ihn mir nehmen, meinst du nicht auch?«

Sie verrieb mit einer Hand den klaren Alkohol auf dem Wachstuch und wischte danach weiter, als wollte sie irgendetwas beseitigen. Ich wusste nicht, was ich sagen sollte. Sie hatte sich ihre eigene Geschichte zusammengesponnen. Ich mir meine. Und ich konnte ja nun nicht in diesem See im Nittedal tauchen, nur um zu überprüfen, wer von uns die richtige Geschichte erzählte. Also sagte ich nichts.

Aber die Gewissheit darüber, dass sie einen Mann liebte, der sie so behandelte, verriet mir etwas ganz Bestimmtes über die Liebe.

Nein, eigentlich nicht.

Das tat es nicht.

Es verriet mir *nichts* über die Liebe.

Danach haben wir nie wieder über meinen Vater gesprochen.

Ich folgte der Straße, hielt so gut es ging die Spur, aber irgendwie schien die Straße mich die ganze Zeit über abwerfen zu wollen. Ich rutschte in Richtung Hauswände, kam zu nah an die anderen Autos oder auf die Gegenfahrbahn, wo die Wagen mir auswichen und ihr lautes Hupen hinter mir verhallte wie der Klang eines müden Leierkastens.

Irgendwann bog ich nach rechts ab. Kam auf ruhigere Straßen. Weniger Licht. Weniger Verkehr. Das Dunkel gewann die Oberhand. Und dann wurde alles schwarz.

Ich musste ohnmächtig geworden sein und war von der Fahrbahn abgekommen. Nicht schnell, ich war mit der Stirn gegen die Windschutzscheibe gefallen, ohne dass irgendetwas zu Schaden gekommen war. Weder die Scheibe noch die Stirn. Und der Laternenpfahl, um den sich der Kühlergrill gewickelt hatte, war nicht einmal verbogen. Nur der Motor war ausgegangen. Ich drehte den Zündschlüssel herum, wieder und wieder, aber das Jaulen klang wenig enthusiastisch, so dass ich irgendwann die Autotür aufmachte und rauskroch. Ich hockte wie ein betender Muslim auf Knien und Ellenbogen, während mir der Schnee auf die Handflächen fiel. Dann schob ich die Hände zusammen und versuchte, den lockeren Schnee zusammenzuballen. Aber genau das ist das Problem mit Pulverschnee. Er ist weiß und schön, aber schwer zu etwas zu gebrauchen, das Bestand hat. Er verspricht so viel, aber das, was du daraus machen willst, geht doch irgendwann kaputt und zerrieselt dir zwischen den Fingern. Ich sah nach oben, blickte mich um und erkannte, wohin ich gefahren war.

Ich stolperte vom Auto weg zum Fenster. Presste das Gesicht gegen die Scheibe. Das kalte Glas linderte das Glühen meiner Stirn. Drinnen lagen die Regale und Kassen in schimmerndem Halbdunkel. Ich war zu spät gekommen, der Laden war zu. Natürlich war er das, es war ja mitten in der Nacht. An der Tür hing sogar ein Zettel, der darüber informierte, dass sie früher schlossen als sonst üblich. *Wegen Inventur schließt das Geschäft am 23. 12. bereits um 17.00 Uhr.*

Inventur. Die Zeit war wohl reif dafür.

In der Ecke hinter der kurzen Reihe der Einkaufswagen stand ein kleiner, hässlicher Weihnachtsbaum. Trotzdem, auch dieses Ding verdiente den Namen Weihnachtsbaum.

Ich wusste nicht, warum ich hierher gefahren war. Ich hätte in die Pension fahren und dort ein Zimmer nehmen können. Gegenüber von der Wohnung, deren Besitzer wir gerade expediert hatten. Und deren Besitzerin mich expediert hatte. Dort würde mich niemand suchen. Mein Geld reichte für zwei Nächte. Und morgen könnte ich den Fischer anrufen und ihn bitten, das restliche Honorar auf mein Konto zu überweisen.

Ich hörte mich selbst lachen.

Spürte eine warme Träne über meine Wange laufen, sah, wie sich der Tropfen in den Schnee bohrte.

Und noch eine, die einfach verschwand.

Dann fiel mein Blick auf mein Knie. Das Blut quoll durch den Stoff meiner Hose, sickerte nach unten und legte sich schleimig glänzend auf den Schnee, wie Eiweiß. Ich wollte, dass es verschwand. Dass es mit dem Schnee verschmolz und wie die Tränen geschluckt wurde. Stattdessen blieb es da, rot und vibrierend. Meine verschwitzten Haare klebten am Schaufenster. Es ist vielleicht etwas spät jetzt, aber ich will es doch noch sagen, ich habe lange, strähnige blonde

Haare, einen Bart, blaue Augen und bin mittelgroß.
Das sollte als Beschreibung eigentlich reichen. Haare und Bart sind vorteilhaft, wenn man bei einer Expedierung einmal zu viele Zeugen hat. Man kann sein
Aussehen jederzeit schnell verändern. Jetzt aber spürte
ich, dass mein Potential zur schnellen Veränderung
an der Scheibe festfror und Wurzeln schlug wie eins
der Geschöpfe dieses Scheißkorallenriffs, von dem ich
die ganze Zeit rede. Ich sollte also mit dieser Scheibe
verschmelzen, zu Glas werden, genau wie in Brehms
Tierleben beschrieben. Die wirbellosen Nesseltiere
werden zu dem Korallenriff, auf dem sie leben. Und
morgen konnte ich dann Maria sehen, sie den ganzen Tag beobachten, ohne dass sie mich sah. Ihr zu-
flüstern, was ich wollte. Die Worte rufen, sie singen.
Verschwinden. Das war das Einzige, was ich mir jetzt
noch wünschte, vielleicht das Einzige, was ich mir *jemals* gewünscht hatte. Verschwinden, wie Mama, die
sich mit ihrem Klaren unsichtbar gesoffen, sich selbst
weggeätzt hatte. Wo war sie jetzt? Ich erinnerte mich
nicht mehr. Hatte es ziemlich schnell vergessen. Es
war merkwürdig, ich erinnerte mich an meinen Vater,
aber wo war sie, die mich auf die Welt gebracht und
für mich gesorgt hatte? War sie wirklich tot? Beerdigt
auf dem Ris Friedhof? Oder gab es sie noch irgendwo
dort draußen? Ich konnte mich einfach nicht erinnern.

Ich schloss die Augen und stützte mich weiter an
der Scheibe ab. Ganz entspannt. So müde. Bald würde
ich mich daran erinnern. Bald …

Die Dunkelheit senkte sich herab. Unaufhaltsam.

Breitete ihren schweren, schwarzen Mantel über mich und kam mir entgegen, um mich in ihre Arme zu nehmen.

Es war so still, dass ich das sanfte Klicken ganz deutlich hörte, als wäre die Tür genau neben mir. Dann vernahm ich Schritte, das bekannte Hinken. Es näherte sich. Ich öffnete die Augen nicht. Die Schritte stoppten.

»Olav.«

Ich antwortete nicht.

Sie kam näher. Ich spürte eine Hand auf meinem Oberarm. »Was. Machst. Du. Hier.«

Ich öffnete die Augen. Starrte in das Glas und sah ihr Spiegelbild. Sie stand hinter mir.

Ich öffnete den Mund, konnte aber nicht sprechen.

»Blutest. Du.«

Ich nickte. Wie war das möglich, wie konnte sie jetzt hier sein? Mitten in der Nacht?

Natürlich.

Inventur.

»Dein. Auto.«

Ich formte Mund und Zunge zu einem »Ja«, aber es kam einfach kein Laut heraus.

Sie nickte, als würde sie verstehen, hob meinen Arm und legte ihn sich über die Schulter.

»Komm.«

Ich hinkte auf Maria gestützt zum Auto. Das Merkwürdige war, dass ich nichts von ihrem Hinken bemerkte, als wäre es verschwunden. Sie bugsierte mich auf den Beifahrersitz und ging selbst zur noch immer offen stehenden Fahrertür. Sie beugte sich über mich und riss das Hosenbein auf, das lautlos nachgab. Dann nahm sie eine Flasche Mineralwasser aus ihrer Tasche, drehte den Deckel ab und goss mir das Wasser über das Bein.

»Kugel?«

Ich nickte und blickte nach unten. Es tat nicht mehr weh, aber die Einschusswunde sah aus wie das nasse, aufgerissene Maul eines Fisches. Maria hatte ihren Schal abgenommen und bat mich, das Bein anzuheben. Dann wickelte sie den Schal um meinen Oberschenkel. Fest.

»Halten. Finger. Hier. Und. Drück. Die. Wunde. Zusammen.«

Sie drehte den Zündschlüssel herum, der noch immer im Schloss steckte. Der Wagen startete mit einem weichen, wohlwollenden Schnarren. Sie legte den Rückwärtsgang ein und löste den Wagen von dem Laternenpfahl. Lenkte das Auto auf die Straße und fuhr los.

»Mein. Onkel. Ist. Chirurg. Marcel. Myriel.«

Myriel. Das war auch der Nachname des Junkies gewesen. Wie konnten sie und er einen Onkel mit dem gleichen ...

»Nicht. Ins. Krankenhaus.« Sie sah mich an. »Bei. Mir.«

Ich legte den Kopf nach hinten an die Kopfstütze. Sie redete nicht wie eine Taubstumme. Es klang seltsam abgehackt, aber nicht wie bei jemandem, der nicht reden kann, eher wie ...

»Französisch«, sagte sie. »Sorry. Aber. Ich. Rede. Nicht. Gerne. Norwegisch.« Sie lachte kurz. »Ich. Schreibe. Lieber. Habe. Das. Immer. Getan. Schon. Als. Kind. Hab. Viel. Gelesen. Liest. Du. Gerne. Olav.«

Ein Polizeiwagen kam uns mit langsam rotierendem Blaulicht entgegen. Ich sah im Rückspiegel, wie er verschwand. Wenn er auf der Suche nach dem Volvo war, hatte er nicht aufgepasst. Vielleicht ging es um etwas anderes.

Ihr Bruder. Der Junkie war ihr Bruder, nicht ihr Lover. Vermutlich ihr kleiner Bruder, deshalb hatte sie alles für ihn opfern wollen. Aber warum hatte damals der Chirurg, ihr Onkel, nicht helfen können? Warum hatte sie sich … Genug jetzt. Ich würde den Rest schon noch irgendwann erfahren und den Zusammenhang verstehen. Sie hatte die Heizung aufgedreht, und die Wärme machte mich so schläfrig, dass ich mich konzentrieren musste, um nicht völlig wegzudriften.

»Ich. Glaube. Du. Liest. Olav. Denn. Du. Bist. Wie. So. Ein. Dichter. Es. Ist. So. Schön. Was. Du. Sagst. Wenn. Wir. Unter. Der. Erde. Sind.«

Unter der Erde?

Meine Augen fielen zu, aber allmählich verstand ich. Die U-Bahn. Maria hatte alles gehört, was ich gesagt hatte.

An all diesen Nachmittagen in der U-Bahn hatte sie einfach nur dagestanden und mich reden lassen, während ich sie für taub hielt. Tag für Tag, und dabei so getan, als hätte sie mich weder gesehen noch gehört. Wie in einem Spiel. Deshalb hatte sie im Laden meine

Hand genommen, sie glaubte zu wissen, dass ich sie liebte. Und diese Pralinenschachtel war das Zeichen, ich war nun endlich bereit, den Schritt von der Phantasie in die Wirklichkeit zu wagen. Hing das alles so zusammen? War ich wirklich so blind gewesen, wie ich sie für taub gehalten hatte? Oder hatte ich es die ganze Zeit gewusst, nur vor der Wahrheit die Augen verschlossen?

War es möglich, dass ich schon immer auf dem Weg hierher gewesen war? Auf dem Weg zu Maria Myriel?

»Mein. Onkel. Kann. Heute. Nacht. Bestimmt. Kommen. Und. Wenn. Das. Für. Dich. In. Ordnung. Ist. Gibt. Es. Morgen. Französisches. Weihnachtsessen. Gans. Etwas. Später. Nach. Der. Christmette.«

Ich steckte die Hand in die Innentasche, fand den Briefumschlag und hielt ihn ihr mit noch immer geschlossenen Augen hin. Spürte, dass sie den Brief nahm, an die Seite fuhr und den Wagen anhielt. Ich war so müde, so müde.

Sie begann zu lesen.

Las die Worte, die ich aufs Papier geblutet, die ich zerpflückt und wieder zusammengesetzt hatte, damit die richtigen Buchstaben an die richtigen Stellen kamen.

Sie hörten sich gar nicht so tot an. Im Gegenteil, sie waren lebendig. Und wahr. So wahr, dass *ich liebe dich* die einzigen Worte sind, die man überhaupt sagen kann. So lebendig, dass jeder, der diese Worte hört, ihn sehen muss, diesen Mann, der über das Mädchen geschrieben hat, zu dem er jeden Tag ging. Und sie, das

Mädchen im Laden, das er liebte, aber gar nicht lieben wollte, weil er niemanden lieben wollte, der genauso war wie er. Unvollkommen, mit Mängeln, Ecken und Kanten, auch sie eine selbstaufopfernde, pathetische Sklavin der Liebe, die brav von den Lippen las, aber nie selbst redete. Die sich unterwarf und darin ihren Lohn fand. Und dennoch: Er würde es niemals schaffen, sie nicht zu lieben. Sie war genau das, was er nicht wollte, was er von ganzem Herzen wünschte, nicht haben zu wollen. Sie war seine eigene Erniedrigung. Und das Beste, das Menschlichste und Schönste, das er kannte.

Ansonsten weiß ich nicht so viel, Maria. Nur zwei Dinge, eigentlich. Das eine ist, dass ich keine Ahnung habe, wie ich jemanden wie dich glücklich machen könnte, denn ich mache alles kaputt und erfülle nichts mit Sinn und Leben. Das andere ist, dass ich dich liebe, Maria. Und genau aus diesem Grund bin ich nicht zu dem Essen gekommen. Olav.

Ich hörte die Tränen in ihrer Stimme, als sie die letzten Sätze las.

Wir saßen in der Stille da, sogar die Polizeisirenen waren verstummt. Sie schniefte. Dann redete sie.

»Du. Hast. Mich. Jetzt. Glücklich. Gemacht. Olav. Das. Ist. Genug. Verstehst. Du.«

Ich nickte und holte tief Luft. Dachte, dass ich jetzt sterben kann, Mama. Denn mehr muss ich nicht schreiben. Einen besseren Schluss für diese Geschichte gibt es nicht.

KAPITEL 21

Trotz der eisigen Kälte schneite es die ganze Nacht. Als die ersten Bewohner im morgendlichen Dunkel aufstanden und auf Oslo blickten, lag die Stadt unter einer weichen weißen Decke. Die Autos zogen langsame Spuren durch den Schnee, und die Menschen stapften lächelnd über die vereisten Bürgersteige. Niemand hatte Eile, denn es war Heiligabend, die hohe Zeit für Frieden und Besinnlichkeit.

Im Radio redeten sie über den Kälterekord und noch kältere Zeiten, und im Fischladen am Youngstorget packten sie die letzten Kilo Dorsch ein und sangen »Oh du fröhliche« mit der merkwürdigen Melodie, die ungeachtet des Textes einfach nur positiv stimmte.

An der Ris Kirche hing noch immer das Absperrband der Kripo. Der Pastor diskutierte drinnen mit der Polizei, wie um alles in der Welt sie den Weihnachtsgottesdienst durchführen sollten, wenn am Nachmittag all die Menschen kamen.

Im Rikshospital im Zentrum von Oslo verließ der Chirurg den OP-Tisch, auf dem das kleine Mädchen lag, trat auf den Flur, zog sich die Handschuhe aus und ging zu den beiden wartenden Frauen. Erst als Angst und Verzweiflung nicht aus ihren erstarrten Gesichtern wichen, bemerkte er, dass er ja immer noch den Mundschutz trug und sie sein Lächeln gar nicht sehen konnten.

Maria Myriel verließ die U-Bahn und ging über die kleine Anhöhe zum Laden. Vor ihr lag ein kurzer Arbeitstag, sie schlossen heute schon um zwei Uhr. Und dann war Weihnachten. Weihnachten!

Gedankenverloren summte sie ein Lied, in dem es darum ging, dass sie ihn wiedersehen würde. Dass sie das ganz genau wusste. Sie wusste das seit dem Tag, an dem er gekommen war und sie einfach herausgeholt hatte … aus all dem, woran sie nicht mehr denken wollte. Die blauen, lieben Augen hinter den langen blonden Haaren. Die geraden schmalen Lippen unter dem kräftigen Bart. Und seine Hände. Seine Hände liebte sie mehr als alles andere, aber das war ja nur natürlich. Es waren die Hände eines Mannes, aber sie waren gepflegt. Etwas groß und kantig, wie von einem Bildhauer gemeißelt. Die Hände eines Arbeiterhelden. Hände, von denen sie sich vorstellen konnte, dass sie ihren Körper streichelten, sie festhielten, liebkosten, trösteten. So wie ihre Hände ihn. Manchmal bekam sie es mit der Angst, wenn sie an die Kraft ihrer Liebe dachte. Sie war wie ein aufgestauter See, dabei wusste Maria genau, dass es nur eine Nuance war, ob man jemanden in Liebe badete oder darin ertränkte. Aber

davor hatte sie keine Angst. Denn er sah so aus, als
könnte er nicht nur Liebe geben, sondern auch welche
empfangen.

Vor dem Laden waren Menschen zusammengelau-
fen, und dort stand auch ein Polizeiwagen. War eingebrochen worden?

Nein, allem Anschein nach handelte es sich nur um
einen Unfall. Am Laternenpfahl stand ein Auto.

Als sie näher kam, sah sie, dass die Schaulustigen
sich mehr für das Schaufenster als für das Auto inter-
essierten. War möglicherweise doch eingebrochen
worden? Ein Polizist trat aus der Menschenmenge,
ging zu dem Streifenwagen und nahm ein Funkgerät
heraus, in das er hineinsprach. Sie las von seinen Lippen ab. »Tod« und »Schussverletzung« und »richtiger
Volvo«.

Ein anderer Polizist versuchte, die Schaulustigen
zurückzudrängen, und als sie den Blick freigaben, erkannte sie eine Gestalt vor dem Fenster. Zuerst glaubte sie, es handele sich um einen Schneemann. Doch
dann verstand sie, dass der Mann, der am Schaufenster
lehnte, nur mit Schnee bedeckt war. Er wurde von
seinem Bart und den langen blonden Haaren, die an
der Scheibe angefroren waren, aufrecht gehalten. Sie
wollte es nicht, ging aber trotzdem näher heran. Der
Polizist sagte etwas zu ihr, und sie deutete auf ihre
Ohren und ihren Mund. Dann zeigte sie auf den Laden und holte den Ausweis mit ihrem Namen heraus.
Schon mehrmals hatte sie gedacht, dass sie ihn wieder
in Maria Olsen ändern lassen sollte, andererseits war

ihr außer dem billigen Ring und den Drogenschulden nichts von ihm geblieben außer diesem französischen Namen, und der war eindeutig exotischer als Olsen.

Der Polizist gab ihr nickend zu verstehen, dass sie den Laden öffnen durfte, aber sie blieb stehen.

Das Weihnachtslied in ihrem Inneren war verstummt.

Sie starrte den Mann am Fenster an. Er schien eine dünne Haut aus Eis bekommen zu haben, unter der feine blaue Adern zu erkennen waren. Wie ein Schneemann, der Blut aufgesaugt hatte. Unter den bereiften Augenlidern war der gebrochene Blick in den Laden gerichtet. Auf den Platz, an dem sie bald sitzen würde und die Preise der Waren in die Kasse eintippen. Die Kunden anlächeln und sich vorstellen, wer sie waren und was für Leben sie führten. Und später, am Abend, wollte sie das Konfekt essen, das sie von ihm bekommen hatte.

Der Polizist schob eine Hand in den Mantel des Mannes, nahm die Geldbörse, öffnete sie und zog einen grünen Führerschein heraus. Aber nicht darauf hatte Maria den Blick geheftet. Sie starrte auf den gelben Umschlag, der herausgerutscht und in den Schnee gefallen war, als der Polizist die Geldbörse herausgezogen hatte. Die Buchstaben auf dem Kuvert waren zierlich, schön, fast feminin.

An Maria.

Der Polizist ging mit dem Führerschein zum Wagen hinüber. Maria bückte sich und hob den Umschlag auf. Steckte ihn in die Tasche. Niemand schien es gesehen zu haben. Sie stand dort, wo er zu Boden gefallen war. Auf dem Schnee und dem Blut. Weiß. Rot. Seltsam schön. Wie die Robe eines Königs.

Jo Nesbø

Der Sohn

Kriminalroman.
Aus dem Norwegischen von
Günther Frauenlob.
Gebunden mit Schutzumschlag.
Auch als E-Book erhältlich.
www.ullstein-buchverlage.de

»Abgrundtiefe Krimiperfektion.« *Süddeutsche Zeitung*

Sonny ist ein vorbildlicher Gefangener. Er lauscht den Geständnissen seiner Mitgefangenen und vergibt ihnen ihre Sünden. Doch dann ändert ein Geständnis alles. Ein Mitgefangener weiß etwas über Sonnys in Ungnade gefallenen Vater. Sonny will Rache. Er flieht aus dem Gefängnis. Die Verantwortlichen sollen für ihre Verbrechen zahlen. Wie hoch der Preis auch sein mag.

»Der Sohn *ist ein raffiniert gebautes Drama, das den großen Fragen auf den Grund geht.«*
Sonntag

»Der Sohn *ist ganz großes Kino.«*
SWR 3

Die Erfolgsserie des Bestsellerautors Jo Nesbø:

Alle Titel sind auch als E-Book erhältlich.

Harry Holes 1. Fall:
Der Fledermausmann
Kriminalroman.
ISBN 978-3-548-25364-0

Harry Holes 2. Fall:
Kakerlaken
Kriminalroman.
ISBN 978-3-548-28049-3

Harry Holes 3. Fall:
Rotkehlchen
Kriminalroman.
ISBN 978-3-548-25885-0

Harry Holes 4. Fall:
Die Fährte
Kriminalroman.
ISBN 978-3-548-26388-5

Harry Holes 5. Fall:
Das fünfte Zeichen
Kriminalroman.
ISBN 978-3-548-26725-8

Harry Holes 6. Fall:
Der Erlöser
Kriminalroman.
ISBN 978-3-548-26968-9

Harry Holes 7. Fall:
Schneemann
Kriminalroman.
ISBN 978-3-548-28123-0

Harry Holes 8. Fall:
Leopard
Kriminalroman.
ISBN 978-3-548-28321-0

Harry Holes 9. Fall:
Die Larve
Kriminalroman.
ISBN 978-3-548-28493-4

Harry Holes 10. Fall:
Koma
Kriminalroman.
ISBN 978-3-548-28686-0

www.ullstein-buchverlage.de

UB540

Jo Nesbø

Koma

Kriminalroman.
Aus dem Norwegischen von
Günther Frauenlob.
Auch als E-Book erhältlich.
www.ullstein-buchverlage.de

Spannung pur – der beste Harry Hole aller Zeiten!

Ein junges Mädchen wird tot im Wald gefunden. Sie
wurde brutal vergewaltigt. Zehn Jahre später wird an
derselben Stelle ein Polizist getötet, sein Gesicht ist
grausam entstellt. Eine Sonderkommission ermittelt
unter Hochdruck. Doch es geschehen weitere Morde.
Die Polizei hat keine Spur, und ihr bester Ermittler
Harry Hole fehlt.

In einem Krankenhaus liegt ein schwerverletzter Mann
im Koma. Das Zimmer wird von der Polizei bewacht.
Niemand soll erfahren, wer der geheimnisvolle Patient
ist. Denn er hat einen Feind. Und der ist überall.

ullstein

Neuer Held, neuer Thrill

Jo Nesbø

HEADHUNTER

Thriller

ISBN 978-3-548-28388-3
www.ullstein-buchverlage.de

Roger Brown genießt als Headhunter in Wirt-
schaftskreisen einen exzellenten Ruf. Was
niemand weiß: Er raubt seine Klienten aus, bringt
sie um ihre Kunstwerke. Auf einer Vernissage
lernt Brown den Holländer Clas Greve kennen.
Greve scheint ihm die perfekte Besetzung als
Geschäftsführer eines GPS-Unternehmens. Die
Männer kommen ins Geschäft, und so erfährt
Brown, dass Greve einen lange verloren ge-
glaubten Rubens besitzt. Am nächsten Tag
stiehlt Brown das wertvolle Gemälde. Doch
Greve erweist sich als hartnäckiger Gegner.
Eine gnadenlose Verfolgungsjagd beginnt.

»Ein erstklassiger Thriller, eine Wahnsinns-
geschichte – die alles toppt.« *Dagbladet*

ullstein

Es geht weiter

THRILLER

JO NESBØ
BLOOD ON SNOW
DAS VERSTECK